ちくま文庫

翻訳教室

はじめの一歩

鴻巣友季子

筑摩書房

目次 * Contents

翻訳教室　はじめの一歩

序章「翻訳教室　はじめの一歩」のための一歩

みなさん、はじめまして。わたしは英語で書かれた小説などを日本語に訳す翻訳という仕事をしています。最近では、翻訳家になりたいという人たちが増え、なかには中学生、小学生の志望者もいるほどです。

この本は、二〇一二年二月にNHK総合テレビで放映された「ようこそ先輩　課外授業」という番組での体験をとりいれて書かれています。この番組では、いろいろな職業人が母校の小学校を訪れ、数日間かけて自分の仕事に関する授業をおこないます。わたしも小学生に翻訳を教えてきました。正確にいうと、子どもたちと一緒に翻訳にチャレンジしてきました。

この番組を観た視聴者の多くは最初、「えっ、小学生が英語の翻訳!?　そんな難しいこと、できるのかな?」と不安を感じたそうです。現在の日本では、小学校三年生から英語が必修化されていますが、世田谷区立赤堤小学校六年二組のみんなは長い英語の文章を読むのも初めてだし、英語の本や英和辞書すら手にしたことのない子がほとんどでした。ところが、授業の最後には、わたしもうらやましく思うような訳文をつぎつぎと生みだしてくれたのです。

彼らはどんな道のりを経て、そんなすばらしい訳文にたどりついたのでしょうか？

この本のなかで授業を振り返りながら、翻訳っていったい何なんだろうということも考えていきたいと思います。

翻訳の重要さって？

二十世紀の終わりごろから「グローバル社会」といったことが盛んに言われるようになりました。the globe というのは地球のこと、global とは「地球規模の」「世界全体に関係する」といった意味ですね。大昔の馬車や籠や船の旅が、高速列車、さらには飛行機といった交通機関によるものに代わり、電報、電話の時代から、ファックス、メール、携帯、インターネット、ウェブ上のSNS（ソーシャル・ネットワーキング・

サービス）、インターネット電話やライブ映像配信、そしてテレビ会議ツールなど、通信技術がどんどん発達するにつれ、世界はどんどん「狭く」なってきました。地球のあっちとこっちに散らばっていた人々は、こうした乗り物やテクノロジーを使えば、すぐに集まったり、同じものを見て話しあったりすることができますから、共同でなにかをする機会が増えていきます。

するると、困るのは言語の壁ですね。今、世界には六千プラスマイナス千ぐらいの言語があると言われています。

違う言語を話す人たちが集まったら、そして互いの言葉がわからないとしたら、必要になるのは、通訳者や翻訳者です。二十一世紀の今、通訳をふくめた翻訳という仕事の役割はますます大きく重くなっています。

でも、翻訳ってどんなことをするの？　翻訳家ってどんな職業？　という内容については、意外と知られていないのではないでしょうか。本書では、そんな本質的なことを考えつつ、なるべく具体的に翻訳の現場をお見せしようと思います。難しい翻訳理論や翻訳技術はほとんど出てきません。あくまでタイトルのとおり、「はじめの一歩」をお話しする入門書です。

　しかしながら、この「はじめの一歩」に、翻訳のあらゆるエッセンスがふくまれていると言って過言ではありません。**翻訳は初心がすべてなのです。**

翻訳をする時に大切なこと

　それはずばり言うと、想像力の枠から出ようとすること。少なくとも、出ようとする意識をもつことです。言い換えれば、人間は自分の想像力の壁のなかで生きている。そのことを忘れないことだと思います。

　二〇一一年三月十一日、東北の三陸沖を震源とするマグニチュード9・0という巨大地震が東日本を襲いました。地震の後には、うち続く余震のなか、最大二十m以上の高さの津波が町々を襲ってのみこみ、その一方で火災事故が頻発し、震源地から三〜四百km離れた東京の湾岸地帯でも地面の液状化などが起きました。

　そして、いまなお解決が見られていない深刻な問題といえば、福島の原子力発電所のメルトダウンと言われる事故です。くわしくは省きますが、そもそも原子力発電によって出る、放射線を発する核廃棄物は、無害なものとなるのに十万年の歳月が必要です。作った人間たち自身がそのことをきちんとわかっていませんでした。

十万年。みなさんはその長さを想像することができますか？　抽象概念としては理解できますが、特別な修行を積んだお坊さんでもないかぎり、ふつうは「実感」できるような長さではありません。人間の想像力には悲しいことに限りがあるのです。

東日本大震災後、「想定」という言葉がよく聞かれるようになりました。想い定めると書く「想定」とは、つまり「想像力の壁」のことではないでしょうか。人は気づかないうちに、自分だけの想定、つまり想像力の壁のなかで生きている。こうした壁は、他人への思いやりや、おたがいの理解、理解しようとする心、さらには危険を察知する能力までを阻(はば)みます。それによってさまざまな行き違いが起き、そこからいじめ、虐待、ときには戦争や民族への迫害、大虐殺にまでつながってしまうこともあります。

では、この壁を打ち破って想像力の枠を広げるにはどうしたらいいでしょう？　いきなり想像力だけを広げることはできません。想像力を豊かにするには、経験や知見の土台が欠かせないからです。しかし経験を広げ、知見を深めるといっても、例えば被災地に赴いてボランティア活動をするとか、世界各国を旅してまわるとか、学校を辞めて社会で働いてみるとか、そういったことには限りません。また、最も大事なのはそのなかでいろいろな「感情」を経験するということなのです。そのためには、読書というのはとても有効だとわたしは思います。

翻訳とは何か

翻訳というのは、他言語を自分たちの言葉に移すこと、書き換えることだと思われているでしょう。もちろん、翻訳とは最終的には「書くこと」です。しかし翻訳するには、まず原文（他言語で書かれた文章）をよく読まなくてはなりません。訳者というのは、まず読者なのです。翻訳というのは、「深い読書」のことです。

そして、なにかを読むということは、他人と出会うことです。その本や文章を書いた自分ではないだれかとある意味、対話することなのです。時には作者あるいは登場人物とぶつかることもあり、時には一体化したように感じることもあるでしょう。他者に感情的な衝突を感じることを「反感」と言い、他者とひとつにつながったような気持ちになることを「共感」と言いますね。英語では、アンチパシーとシンパシーです。こうした感情経験の豊かさは、想像力の枠を広げることにとても役立つと思います。こうした反感や共感を経た先に、深い理解が生まれるからです。

「良い訳文を書けるようにするにはどんなことをしたらいいですか？」とか、「翻訳文の日本語を磨くにはどうしたらいいですか？」といった質問を最近よく受けるようになりました。これは声を大にして言いたいのですが、あなたの訳文や文章だけを良くすることはできません。日本語だけをピカピカに磨くこともできません。類語辞典などを使うのはとても良いことですが、きれいな言葉やりっぱそうな表現を引っぱってくるだけでは、決して訳文は良くなりません。よく訳すためには、よく読めるようになること。これに尽きます。**よく読めれば、よく訳せる。**

翻訳とは言ってみれば、いっとき他人になることです。個人的な好き嫌いや私的な感情を乗り越えた先で、実際、相手（作者）になり代わって書く。例えば、「書評」

という仕事がありますね。ある本を読んで自分なりに解釈し、その書物にどんなことが書いてあるか、本の趣旨や魅力や評価、あるいはその本の読み方を他の読者に示す文章のことです。翻訳にも似たような働きがありますが、翻訳者が書評者と決定的に違うのは、その本を丸ごと自分の手で書きなおし、作者の文章を一語一句にいたるまでみずから**当事者となって実体験すること**なのです。
翻訳とは、いったん他人になった後、最終的には自分に還(かえ)ることです。だから翻訳者は翻訳作業中、つねに他者と、他者の言葉と語りあっていることになります。

よくひとりぼっちで仕事をしていて寂しくないですか？　と聞かれます。たしかに孤独な作業ですが、いつも本のなかとそのむこうに他人の存在を感じていますから、孤独であっても、寂しいと感じたことはありません。

さて、ちょっと長くなりましたが前置きはこれぐらいにして、翻訳を実践し、想像力の枠を広げていきましょう。

第一章　他者になりきる——想像力の壁をゆるがそう

宿題「わたしは世田谷線」

では、翻訳教室を始めましょう。第一章から第三章は、世田谷区にある区立赤堤小学校の六年二組での三日間の授業におつきあいいただき、翻訳作業の具体例を見ながらお話しししていきたいと思います。二組の児童は三十人。ほぼ男女同数のとても元気なクラスです。

授業をする前に、わたしはあらかじめ作文の宿題を出してありました。作文を書く際のお願いとして、このような手紙をつけてあります。

わたしは英語の小説を日本語にする「翻訳家」という職業についています。英語の文章を読んで、日本語で書く仕事です。そこで、みなさんにかんたんな宿題があります。以下の要領で作文を書いてきてほしいのです。

題材：世田谷線

タイトル：「わたしは世田谷線」

字数：原稿用紙に200字以内（それより短くてもいいですよ）

書き方：①世田谷線についての作文ではありません。自分が「世田谷線にな
った」つもりで書いてください。世田谷線が毎日「どんな気持ち」で走っ
ているか、どんなものが見え、聞こえているか、想像力を羽ばたかせて
書いてください。
②世田谷線は日常的に利用している人もいるかもしれませんが、できれ
ば一度乗ってみてから書いてくださいね。始発から終点まででも、途中
だけでもいいですよ。宮の坂駅に展示してある古い車両に乗ってみたり、
上町の車庫を見学してきたり、色々な方向から見るのも面白いかもしれ
ません。工夫してみてください。

世田谷線を知らない読者のために説明すると、現在、世田谷区の三軒茶屋駅から下高井戸駅までのわずか五キロ、十駅をむすんで走っている、二両編成のローカル線のことです。両ターミナル駅と途中の駅で、田園都市線、京王線、小田急線と接続していて、小さいながら地元の人たちの通勤通学や移動に欠かせない足となっています。玉川線の支線として一部が開通したのが大正十四年、いまも若林のあたりで路面を走ることでも有名で、東京都内では都営荒川線とただ二つ残った「路面電車」と言われて、地元住民に愛されています。

作文のポイントは、「世田谷線について」書くのではないというところ。だれかになりきって作文を書くと言っても、人でもなく動物ですらなく、電車という機械になってみる。自分が世田谷線の目と耳と身体をもったつもりで書く。無機物の「気持ち」になるというのは、ある意味、無茶な話です。でも、あえて無茶なことから始めて、生徒たちに想像力の壁をちょっと揺るがしてもらいたかったのです。

なりきって書く、事実を書く

まず、この作文を書くときどんなところがむずかしかったか、手間取ったか、二組の生徒たちに聞いてみましょう。

マサヒロ「なんて言うか、自分が世田谷線になって、見たり感じたりしたことをだれかに手紙で書くような感じがいいのか、線路で走ってるときの風景をそのまま書くのがいいか、まよっちゃって」

自分の見たこと感じたことを相手に語りかける調子で書いたらいいのか、それとも世田谷線が見ていることを感情を入れずに書いていくかで、口調も文体も変わってきますね。

さあ、いきなり文章を書くうえで大切な問題が出てきました。おおざっぱに言うと、「場面をそのままに書く」やり方と、「自分の考えや気持ちを入れながら書く」やり方です。細かいことはおいておくとして、早速みんなに作文を読んでもらいましょう。

まず、ヒナタくん。

僕は世田谷線。みんなを駅へ運ぶ。駅で子どもたちが、車体の色を、青！緑！と予想する。残念でした、僕は赤！　でも最後はみんな笑顔になる。中にはいろんな人が乗っていて、いつもにぎやかなんだ。みんなの笑顔を運ぶこと、それは自分の重大任務。緊張してしまうけど、みんなの笑顔を見ると、うれしくなって、がんばれる。僕は世田谷線。今日も明日もこの先も、みんなを駅へ運ぶ。

世田谷線になりきった口調がいきいきとしています。世田谷線は車体の色が何種類もあって、次に来る電車の色をあてるのは、沿線の子どもたちのおなじみのゲームなのです。作文を書いていてどうだったか、聞いてみましょう。

ヒナタ「ふだん世田谷線を使ってる立場にある僕が、世田谷線の気持ちになるっていうのはむずかしかったけど、電車の前の方に乗って、世田谷線が見てるだろうなっていう景色を想像しながら書きました」

そう、乗る側と乗られる側、「立場が逆になる」というところもむずかしさの一つ。世田谷線のはりきる気持ち（機械に気持ちがあるかどうかわからないですが）が伝わってきました。

他にも、フミカさんは、「ぼくは世田谷線。毎日二本のまっすぐなレールの上を、前へ前へと走っているよ。時々仲間とすれちがう。みんながんばっている。ぼくもがんばって進もう。でも、時々考える。このレールをはずれて、見たことのない景色を見てみたい。ぼくのまだ知らない街をどこまでもどこまでも進んでみたい。けれど、ぼくは今日もレールの上を進む」という、世田谷線の勤勉さと時おりの夢想をおりまぜて、複雑な感情を表現してくれました。どちらの作文も、なんだか自分が世田谷線になった気がしてきませんか。

では、次に、まったくちがう種類の文体で書いてくれたチセさんの作文です。

わたしは過去と未来をつなぐ電車だ。千九百二十五年に出来てから、八十七年も走っている。昔は山下あたりに山があって、くぬぎがたくさん生えていた。電鉄だったので、私たちから電気を取る家も少なくなかった。今は山もくぬぎ林も、私たちから電気を引く家もなくなってしまっているけれど、それでも私たちは、過去から未来をこの地でつないでいる。

電車というのは、ふつう駅から駅、場所から場所をつなぐものなんだけど、ここでは、過去と未来、時間と時間をつないでいるんだという見方をしているところが面白いですね。古い古い世田谷線の神さまが昔を振り返ってお話ししているような、神話のような雰囲気があります。どうやって書いたか聞いてみましょう。

チセ「お母さんが世田谷についての本を持っていて、それを参考にして書きました」

なるほど、世田谷線になりきるというより、人間の知っている歴史を世田谷線に語らせているんですね。そうするとただの事実も親しみをもって読むことができるでしょう。

見たものを書く、感じたことを書く

では、次はまたちがうタイプで、ハヤトくんの作文です。

「ガタンゴトンガタンゴトン」。ぼくは、毎日たくさんのお客さんを乗せてゆっくり走っている。景色や空を見ながら、民家の横を通り走っている。ぼくが駅に着くのを、お客さんたちは首を長くして待っている。踏切が鳴るとホームのお客さんは一斉にぼくを見る。ぼくは、うれしい気持ちでホームに入る。今日も安全に、お客さんを運んで行こうと思う。

チセさんの作文は、歴史から語り起こすという抽象性の高い書き方でしたが、ハヤトくんは、世田谷線の、この先頭に目がついてるような感じで書いています。自分がホームに入って行くと、そこにいるお客さんが、ぱっと一斉にこっちを見る。その瞬間の喜び、機械が喜んでるかどうかはわかりませんが、機械にもなにか喜びがあるような気にさせてくれる。「お客さんは一斉にぼくを見る」というところで、読者は急に自分まで世田谷線になったみたいな気分になれますね。いま「目」と言いましたが、**登場人物の目でものを見たり、だれの目をとおして書かれているのか意識したりするというのは、翻訳するときにものすごく大事なことなんです。**

では最後に、マイさんの作文です。

いつも、私には、たくさんの人が乗ってくれます。毎日楽しくがんばって走っています。今は真冬、冷たい空気の中を走ります。コートや帽子、ストールで、お洒落をしたお客さんが乗って来て、車両の中はポカポカです。わたしは、赤いボディがお気に入りで、たまにぬりかえると、ピカピカになれてとてもうれしいです。わたしは、いつも乗ってくれている人たちに、とても感謝しています。

ハヤトくんが書いたのは、世田谷線が「見たもの」だったけど、マイさんは「感じたこと」を書いたんですね。暑いとか寒いとか、これは電車独特の感じ方だなあと思えるように書かれています。外の空気の冷たさと、車両のなかの暖かさ、それが同時に感じられるのは、電車ならではですね。人間も、寒い日に外でホットココアなどを飲んでみると、そんな感覚がわかるかもしれない。電車には感覚なんてないかもしれないけど、そういうふうに思える。これを想像力と言いますね。想像力をかき立て、読者をひきこむ文章とそうでない文章というのはあるのです。

読者をひきこむ文章とは

読者をひきこむ文章を書くには、たんに面白い言葉を使ったり、おおげさに盛り上げたりしようとしても効果があがりません。こんな心の動きを意識しながら書いてみてください。

一、まず、自分がその場にいる気になって書く。

ヒナタくんの作文を例にすれば、自分が線路を走る気分になりきれたから、「残念でした、僕は赤！」いう世田谷線らしい言葉が自然に出てきたと思います。こういう表現が出ると、次になにが起きるかというと、

二、読む人もその場にいる気になれる。

読者もその場にいあわせたような気持ちになります。フミカさんの場合なら、「前へ前へと」「まっすぐ走っていた世田谷線」が「でも、時々考える」というところで、読者の気持ちはぐっと世田谷線に近づきませんか。世田谷線を間近に感じるようになります。そうすると、どうなるかというと、

三、読む人が文中のだれかになった気がしてくる。

文中のだれかと一体化してくるんですね。**こういう読者の心の働きを「感情移入」と言います。ここには「共感」という心の作用が関係しています。**チセさんの「世田谷線に語らせると、ただの史実にも親しみが感じられる」というのも、一種の感情移

入かもしれませんね。

一方、「反感」を覚えることもあるでしょう。例えば、これが小説であれば、小説というのは読者みんなに好感や共感をもたれたくて書かれるものではありませんから（そうなのですよ！）、世の中にはみなさんが反感をもつ作品というのはたくさんあると思います。むしろ嫌われるように書かれた小説だってあるでしょう。いまネットのオンライン書店には読者のレビューがたくさん掲載されており、そのうちの何割かは要約すると、「登場人物に共感できず（好きになれず）読んでいてつまらなかった」という意味のことが書かれています。

文中の人物が好きか嫌いか、その人たちに感情移入できるか否か、共感できるか否か、そういったことを公の場に書くのも読者の自由です。しかしこれは個人の感想であって、批評（書評）ではありません。言い換えれば、自分の好き嫌いを表明しているだけの文章は、それがプロと称する人が書いたものでも、批評や書評とは呼べないということです。翻訳にも同様のことが言えます。

序章でも書きましたが、あなたがもし翻訳家になったら（目指しているなら）、個人的な好き嫌いを超えたところで、自分の訳す作品を評価し、解釈し、理解し、そして受容することが重要です。正直な話、わたしがほれこんだり、好きで好きで翻訳したりした小説でも、じつはその主人公をあまり好きでないものがけっこうある。しかし作品としては、評価しているのです。

主観的な文章と客観的な文章

さきほど、「場面をそのままに書く」やり方と、「自分の考えや気持ちを入れながら書く」やり方があると言いました。自分ひとりの見方や感じ方やそれに基づいた意見のことを「主観」と言いますが、一つめは、この主観をまじえないで書くやり方です。完全に主観を取り去って書くことはできないのですが、こういうタイプの文章は「客観的な文章」とか、場合によっては「写実描写」などと呼ばれます。

日本の文学には、ありのままに描くことを好む傾向がわりあい強いようです。たとえば、志賀直哉（しがなおや）という作家は写実描写の神さまのように言われています。日本語の写実と英語の写実はやり方がちがうので、志賀直哉の写実文も、欧米の人たちから見れば、主観的に映るかもしれません。この問題は少しむずかしいので、ひとまずわきにおきましょう。

ともあれ、なるべく主観を入れないようにして描写するタイプの文章がある、ということ。英語で言うと、showing（見せる）という感じです。それに対してマサヒロくんは、「だれかに手紙で書くような感じ」という文体を挙げてくれましたね。だれかに語りかけるような感じです。英語で言ったら、telling（語る）に近い。語りかける自分が文中にいるわけですから、自分のものの見方や感じ方などが多少なりとも混じっているはずです。つまり「主観的な文章」です。

この二つの文章のタイプは、翻訳をおこなっていく上でとても重要になってきます。客観寄りの文章にするか、主観寄りの文章にするか、それは作者の意思で決めることができます。訳者はそれに従うことになります。原文が客観的な文章であれば、訳文もそうするべきですし、主観的な文章であれば、訳文もそれにならわなくてはいけません。原文に「何が書いてあるか」だけでなく、「どのように書いてあるか」までも日本語に移すのが、翻訳の基本だからです。

では、どうしたらこの二つのタイプを見分けることができるでしょうか。次の例文を見てください。どれが主観的でどれが客観的な文章だと思いますか?

ある日、アミさんが通りを歩いていると、ユウタくんが小さな子の手からおもちゃをとりあげている姿が目に入りました。

次につづく文章をいくつか書いてみます。

①「ユウタっていじわるだな!」とアミさんは言い、石をけりました。
②ユウタくんはいじわるであるとアミさんは述べ、石をけりました。
③ユウタくんっていじわるですね!　腹がたちます。
④ユウタってマジいじわるじゃん!　あったまきた。

どれも「ユウタはいじわる」という内容が書いてあります。ここの部分は、客観的事実ではなく、アミの主観ですね。小さな子の手からおもちゃをとったからといって、「いじわるではない」と判断する人もいて、感じ方は人それぞれだからです。では、①から④までぜんぶ主観的な文章でしょうか？

じつは、①と②が客観的な書き方、③と④が主観的な書き方です。

①と②は、アミが見たこと言ったことなどを、書き手の意見を入れずに、そのまま書いているだけです。アミが感じたこと（ユウタはいじわる）は主観的ですが、書き方は客観的なのです。このちがいをよく理解しておいてください。

③は「……ですね！」と読者に語りかけて同意を求めています。書き手の気持ちが表れているようですね。お話のなかに、書き手が自分の考えを入れて書いていると見ることもできます。

④はアミの気持ちがそのまま文章になったのかもしれないし、アミの気持ちを書き手が代弁しているのかもしれませんが、ともかく主観を交えた記述です。

こうしてだれかの立場からものを言ったり（③）、だれかの見方によりそって書く

（④）と、文章は主観的になります。とくにだれの目線でも見ていないなら、文章は客観的になります（①、②）。ただし、前後の話の内容（文脈と言います）によっては、いやみや批判にもなりうるでしょう。

だれかの目や立場は「視点」という言葉でも表せます。目のことですね。世田谷線の作文でも世田谷線の目で見る、といった表現をしました。視点というのは、文章を読んだり書いたり、翻訳したりする上で本当に大切なことなのです。

二組の作文で言えば、世田谷線に語らせながらも、じつは客観的事実に寄って構成していたのが、チセさん。他の人たちは、だいたい世田谷線の視点で、世田谷線の主観（と思わせるもの）を交えて書いていました。

人間はコウモリになれない？

こうしてみると、自分以外のものになるというのは、けっこうむずかしいですね。

たとえば、コウモリになるというのはどういうことだと思いますか？

そう、コウモリは逆さにぶらさがっています。では、いまから二十秒ぐらい、六年二組のみんなと一緒にコウモリになって、逆さになって休んでみましょう。想像のなかで頭を下にして、枝にぶらさがってみましょう。一、二、三………、十九、二十！

さて、どうでしたか。二組のみんな、コウモリになるのってどんな感じがしました？

「う〜、気持ち悪い」

「頭に血がのぼった〜」

頭に血がのぼりますね。コウモリって大変そうだな、と思いませんでしたか？ いつもあんな格好してて。そう思った人、いますよね。はい、でもユキオくんは、大変だって思わなかった。どうして大変じゃないと思ったんですか？

ユキオ「たとえば生きていくために獲物を捕まえることとか、あと獲物がどこにいるかとか、そういうことを考えて逆さになってると思うから」

そう、そういう生きるためのメリットがあるから、コウモリは逆さになってるんですね。だから逆さになってもつらくならないように体が出来ている。調べてみると、逆さになってる時のコウモリっていうのは、血が最小限しか、各器官に行かなくて済むようになっているんですね。だからじつは、頭に血がのぼることはない。コウモリは快適にすごしている。

つまり、人間が思う「コウモリってつらそうだな」とか、「頭に血がのぼっちゃうんじゃないの」とかいうのは、**人間が考える「大変」なんですね**。人間の頭のなかにあるコウモリなんです。想像力の壁を越えて他者を理解するのは、けっこうむずかしいものです。

でも、いまみたいにコウモリの体の構造を知ることで、コウモリの感覚を想像し、それにちょっと近づく、**少なくとも近づこうとすることはできる**でしょう。他人の事情を知って初めて、相手の気持ちを思いやろうとする地点に立てるということはあります。

この気持ちがさっき言った共感とも呼ばれるもので、本を読む時にも、生きていく上でも、大きな意味をもつことがあります。

しかも、もしあなたとだれかが異なる言語を話すのであれば、相手の事情を知ろうとするのに、言語の壁まで超えなくてはなりません。すると、他人に近づこうとする努力は二重の大変さをもつことになります。翻訳の大変さというのは、この二重の大変さなのです。もともと他人との間にある壁。そして異言語の壁。

さらに翻訳では、二重の壁のむこう側にあるものに近づき、最終的にはあなた自身のものとして、あなた自身の言葉で書かなくてはなりません。いわば、三重のむずかしさがあるのですね。

他者を理解すること

アメリカの哲学者でトマス・ネーゲルという人がいます。ネーゲルは人間の「意識体験」と「主観」「客観」について考察した本でこう書いています。

　そのような想像によってわかることは、私がコウモリのようなあり方をしたとすれば、それは私にとってどのようなことであるのか、ということにすぎない。〈中略〉コウモリにとってコウモリであることがどのようなことなのか、を知りたいのである。だが、それを想像しようとすると、私の想像の素材として使えるものは私自身の心の中にしかなく、そのような素材ではこの仕事には役に立たないのだ。

　人間はコウモリの体の構造や知覚方法を「客観的」に把握することはできても、コウモリにとってそれがどんな「生き心地」（これはわたしの言葉です）をもたらすものなのか、わかりようがないと言うのです。人間の意識というのは「主観」の域を出ることがないと言います。わたしの言い方で言えば、想像力の壁の外に出ることはできないということです。これを聞いて、「他人とはしょせんわかりあえないんだ」と結論づける人もいるかもしれませんが、ちょっと待ってください。

同じ意識をもてないからと言って、異類どうしが理解しあえないということにはならない、と思うのです。それは、かけ離れた言語をもつ人間同士が関わりあう場合に、少し似ています。例えば、同じ恒星を指すにも、日本語の「太陽」と、α星語の「□○×▽」の意味がぴったり重なりあうことは永遠にないし、しかも地球の人々はα星人の言葉を地上の言語を介して理解するしかない。けれど、そこに「真の理解」がないと言って、関わりあいを否定するのは、ずいぶんわびしいことだし、翻訳という営みも成立しなくなります。他者の理解というのは100%には満たないものだ、というのを前提として、ならばあとはできるだけ近づこうとすること、その努力に、コミュニケーションの意義も翻訳の意義もあると思うのです。

ネーゲルのこの論文は『コウモリであるとはどのようなことか』（永井均訳、勁草書房）という著書におさめられています。また、『魚は痛みを感じるか？』（ヴィクトリア・ブレスウェイト／高橋洋訳、紀伊國屋書店）や『動物のいのち』（J・M・クッツェー／森祐希子・尾関周二訳、大月書店）なども、興味をもった人は読んでみてください。

想定の壁にかこまれる

二〇一一年、東日本大震災という大きな災害がありました。その後に、「想定」という言葉をよく耳にするようになりましたね。「津波が二十m以上の高さまで来るのは、想定の範囲外だった」とか「原子力発電所はこの規模の地震を想定して建設されていなかった」など、想定という言葉を繰り返し繰り返し、聞いた人もいると思います。想定という語は、想い定めると書きますが、想像力にどこかで「ここまで」と線を引いてしまうことだと思うんです。

たとえば、コウモリってこういう生き物じゃないかって、線を引くわけです。

――

あるいは、世田谷線の線路の強度はこれぐらいでいいだろう、とか。

――

――

たとえば、SNSでこう言えばきっとわかってもらえるはず、とか。

さらに、ちょっと殴ったぐらいでけがしないだろ、って、こうして頭のなかで線を引いていくと、はい、何が出来ましたか？

□

そう、四角い箱が出来ました。小さい部屋が出来てしまいましたね。

人間の想像力って、どうしてもこういう想定の壁にかこまれてしまうのですね。みんな知らず知らずのうちに、自分の想像力の箱のなかで、生きてしまっている。しかも、この壁を完全に取り去ることはむずかしい。完全に相手の気持ちになるとか、コウモリになりきるとか、それはできない。できると思うほうが、ちょっと人間の思い上がりという気がします。

しかし、この四角いスペースをなるべく大きくすることはできる。少しずつこの壁の限界を打ち破って、スペースを広げていくことはできると思います。そうすると、どんな良いことがあるかというと、他者の気持ちを思いやったり、共感の力を深めることができる。

逆に、この壁の内側のスペースが小さければ小さいほど、思わぬところで人とすれ違ってしまったり、いじめも起きる。動物に対する共感力がなかったら、動物虐待にもつながるし、災害の時に危険を察知する能力もぐーんと落ちてしまうかもしれないし、そもそも自分勝手な思いこみで自分が傷ついたりします。たとえば、ウェブというのは相手の姿が見えず、言葉だけを頼りにコミュニケーションすることになりますが、いまネット上で起きている衝突や意思の不通は、ほとんどこの想像力の箱の小ささから来るものではないでしょうか。だからこそ、なるべくこの四方の壁はがちがちに固めたくないと思います。その想像力の部屋を広げるのに、これから翻訳という作業を使ってみようというわけです。

二組のみんなの作文は、とてもよく書けていました。だから、今回はもうちょっと、あと一歩か二歩、想像力に無理をさせてほしいのです。言葉ってほんとうに不思議で、さっきまで普通に使っていた言葉の曲がり角をちょっとむこうに曲がっただけで、まったくちがう風景が見えてくることもありますからね。

第二章　言葉には解釈が入る――想像力の部屋を広げる準備体操

これはなんでしょう？

さて、いきなりですが、みなさん、これはなんでしょうか？

二組のみんなにも聞いてみましょう。

「ぞうさん」
「青いぞう」
「エレファント」
「ダンボ」
「人形」
「レゴ」
「おもちゃ」
「つくりもの」
「ちっちゃいもの」
「足が二本しかないぞうのにせもの」

そうですね、「これはなんでしょう?」って聞いただけで、何通りもの答えが返ってきました。どれも正解ですね。物事にはいろいろな表現の仕方があるということで

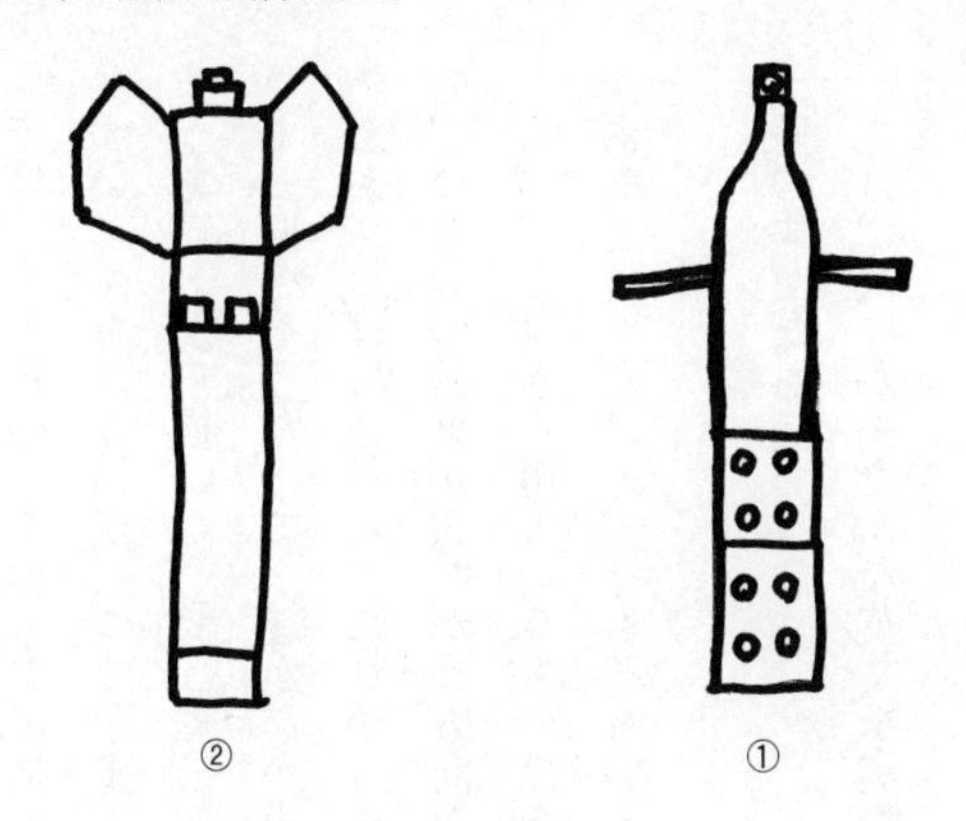
②
①

③

す。

では、この物の絵を何人かに描いてもらいます。

ずいぶんちがう絵が三つできましたね。どの絵も同じぞうを描いていますよ。①はぞうを真上から描いた。②は真後ろから、③は真横から描いたものです。この三つを見て一匹のぞうだって、なかなか思えませんよね。ぜんぜんちがう。

おおざっぱに言うと、これからやる翻訳って、こういうものなんです。ひとつのもの、ひとつの言葉が、ちがう方向から見たら、こんなにちがってくるということ。要するに、どれが正解というものはないんです。さっき、物事にはいろんな表現の仕方があると言ったけど、そもそもいろんな「見方」「見え方」があるんですね。

愛のすがたも変わる？

では、次にかんたんな英文を実際に読んでみましょう。

I love you.

どう読みますか？　「アイ・ラヴ・ユー」？　そうですね。どんな意味か二組のみんなに聞いてみましょう。

ユキオ「君を愛している」
ナオヤ「僕は君が好きだ、みたいな」
タカシ「大好き！」

どれもいいですね。「love」だけでも、「愛してる」「好き」「大好き」と三通りすぐに出てきました。二人が「you」を「君」と訳してくれたけど、相手によっては「あなた」のほうがふさわしい場合もあるだろうし、「おまえ」というのがしっくりくることもあるかもしれない。「I」も「僕」だけでなく、「わたし」、「おれ」、「吾輩（わがはい）」とか「おいら」なんていうのもありますね。日本語の人称代名詞は方言なども入れたら数えきれないほどたくさんあります。

要するになんの脈絡もなく「I love you.」一文だけでは、どう訳すべきか決められないということなんですね。

だったら、今度はちょっとドラマ仕立てにしますよ。

ある月の照る晩に、男の人と女の人が川べりを黙って歩いて来ました。男性も女性も、なんとなく相手のことは好きなんじゃないかなという雰囲気なんだけど、まだ恋人同士ではないみたい。そんな距離感でもって、ふたりは川べりを歩いてくる。そこで、男性のほうがふと立ち止まって振り向いて、女性に、「I love you.」と言いました。

みなさんなら、なんと訳しますか。

翻訳というのは、場面や状況や時代や登場人物が変わったら、それにあわせて言葉も自然と変わってきますね。その人の気持ちになってみたり、あるいは、その時代の状況なども考慮する必要があります。この場合、どう言うと思いますか。二組のみんなはどうですか？

サクラ「僕は君のことがずっと好きだった」

ずっと好きだった。

いいですね。いまだけではなく、過去のある時点からずっと思ってきたんだ、と。文法用語で言ったら、継続を表す完了形です（笑）。

英語の原文では、いま「愛している」ということはアピールできるけど、長いあいだ思ってきたことはわからない。

ここで「原文には完了形なんて使われていないから、そんなふうに訳すのは悪しき意訳」だと言う人もいるでしょう。しかしそもそも日本語と英語は時制表現の概念がまったく異なっているので、まったく同じように再現するのは難しい。前後の文脈によって、文章の含意をくんで、「I love you.」を「ずっと好きだった」と翻訳するのが、意訳とはかぎりません。

いまの場合だと、川べりを歩いてくる男性の長い沈黙は、長年の愛の重みゆえかもしれませんね。その沈黙が「ずっと」という言葉に翻訳されて出てきたのかな。そういうのも訳し方のひとつです。

これが翻訳と英文和訳とのちがいです。

翻訳というのは、「英文和訳」をこなれた日本語に書きなおしたものではないのです。英文和訳をいくら洗練させても、翻訳にはなりません。英文和訳というのは、先生からすれば学校の授業で教えたことをみんなが正確に理解できているか確かめる「テスター」みたいなものですから、決まりきった手順があり、「正確に理解していますよ」ということを示すためには、その手順を踏んでみせる必要があります。そもそも翻訳と英文和訳は、成り立ちも目的も働きもちがう別物なのです。このことは後でもう少しくわしく話したいと思います。

さて、文学の世界には、有名な「言いつたえ」があります。明治時代にある学校の「先生」がこの I love you. をどう訳すかと生徒に問いかけて、「わたしはあなたを愛している」といった答えが返ってきたら、こういうふうに訳しなさいと言ったという伝説があります。

今夜は月がきれいですね。


これ、「I love you.」という意味だってわかるでしょうか？

現代だとちょっと遠回しすぎて伝わらないかもしれませんね。

でも、明治時代には、まだ愛とか恋とかいう言葉は、日常的には使われていなかった。そんな大仰(おおぎょう)な言葉をふだんの会話で使うのも変だし、だいたい男女が「愛してる」と言いあう習慣が日本にはありませんでした。いまもあまりないかな？　みんなの家では家族同士がふつうに「愛してるよ」と言いあっていますか。そう、「言いあう習慣」がなかっただけでなく、昔は英語の「love」にあたる概念じたいが日本語にはなかったのです。愛という字は、例えば奈良時代にはもう中国から入ってきていましたが、いまで言う「love」のような意味では使われていなかった。現代のような意味で使われだしたのは、キリスト教の聖書が英語から本格的に翻訳されるようになった時分だとされています。いまわたしたちが使っている「愛」という言葉は、西洋の言葉からの翻訳語で、明治時代には日常語ではありませんでした。

ですから、男が女に好意を伝えるときには、「今夜は月がきれいですね」ぐらいに言っておくのが粋であると、そう考えられたのでしょう。

I love you. の訳し方はほかにも

それでは、もうひとつ、明治時代の翻訳から例を出します。『ロミオとジュリエット』という作品がありますね。十六世紀にイギリスの大文豪ウィリアム・シェイクスピアが書いた戯曲(ぎきょく)、つまりお芝居です。そこに出てくる、「I love thee. (thee は you の目的格の古語)」です。

これが、ある翻訳では、

かわゆい。

かわゆく思う。

などと訳されています。『小説神髄』という本を書いたことで有名な坪内逍遙という人の翻訳です。いま聞くと、なんだか「えっ?」って感じでしょう。「かわゆし」はもともと大和言葉の「かわはゆし（顔映ゆし）」から来ていて、「可愛」という漢語（漢字）をあてるようになりました。顔が赤らむ↓はずかしい↓気の毒、というふうに意味が転化していって、愛情を持って大切にしたいという気持ちを表す言葉になったのは中世後半だそうです。

現代の日本語でいう「カワイイ」とだいぶニュアンスがちがいますね。kawaiiとローマ字で書いたら、これはいまや世界の共通語です。英語のなかにも借用されており、『オックスフォード・イングリッシュ・ディクショナリー』という権威ある辞書にも見出し語として入っているぐらいで、カラオケ、スシ、ツナミなどと同じで、外国のけっこうな範囲でそのまま通じる国際語です。もとは外来の漢字をあてていた言葉が、また日本から外に出ていき、いまや世界共通語になりつつある。言語の移り変わりというのは、おもしろいものです。

では、次は、こういうシチュエーションではどうでしょう。

ある野球チームが優勝しました。その勝利者インタビューで、外国人選手が出てきて、「これからの抱負はなんですか」などと聞かれ、最後に、「じゃあ、チームのみなさんに、ひと言お願いします」と言われて、「I love you all.」と言ったんです。

これは、どんなふうに訳したらいいでしょう。

ジュン「僕は君たちに感謝してる」

感謝してる、ありがとうという気持ちですね。とても感じが出ていると思います。

こういうときは「みんな、あいしてるよ！」と訳してももちろん良いんですが（忌野(いまわの)清志郎(きよしろう)というロックミュージシャンは「あいしあってるかーい」を決めぜりふにしていました）、実際に通訳がなんと訳したかというと、

みんな、がんばって行こうぜ！

でした。わたしはこれ、名訳だなと思いました。

では最後に、わたしの翻訳体験。

ある小説のなかで、十五歳と二十歳ぐらいのアメリカ人の兄弟がいて、お兄さんがベトナム戦争に出兵していく。その時の別れの言葉として、「I love you, brother, I love you, brother.」って弟が叫ぶ場面がありました。これはなんて訳したらいいでしょう。

みんなはお兄さん、お姉さんにいつも「I love you.」って言ってますか？　そう、「お兄ちゃん、愛してるよ」でもいいんですよ。でもほかにも訳し方はあるかな？

リョウタ「僕はお兄ちゃんの無事を祈ってるよ」

うん、「love」ってそういうことですよね。相手を気づかうこと、いたわること、思いやること、祈ること、それが「love」だと思う。良い訳だと思います。

さて、わたしはどうしたかっていうと、

兄貴、死ぬんじゃないぞ。

と訳しました。でも、結局、このお兄さんは、ベトナム戦争で死んでしまうんだけどね。

解釈を人に伝える

こういうふうに、「I love you.」だけでも、「月がきれいですね」になったり、「かわゆい」になったり、「がんばっていこう」になったり、「死ぬんじゃないぞ」になったりするんですね。

同じひとつの文章がこんなに姿を変えてしまう。翻訳にはそういう一面もあります。さっきのぞうと一緒で、見る角度によって言葉の姿はずいぶん変わる。

六年二組のみんなが書いてきてくれた世田谷線の作文もそうだったでしょう。世田谷線を車体の色など外側から書く人もいれば、車内のようすなど内側から書く人もいる。書くポイントもちがう。音に注目する人もいれば、重さや、温度に注目する人もいる。見るものや角度によって、文章は変わってきます。

同じものを同じ角度から見たとしても、世田谷線の目を通して書く人もいれば、人間の目線で書く人もいる。表現の仕方も無数にある。

訳文というのは、ひとつの言葉、ひとつの文章のどこをどう見てどう表現するかによって、無数に姿を変えることがわかってもらえるかと思います。

そして、表現の方法が変われば、それを読んだ人にもたらす印象も変わってきます。例えば、さっきのぞうが生き物＝本物でないことは確かだけれど、それが「おもちゃ」と言われた時と「にせもの」と言われた時では、心に浮かぶ情景やイメージは変わってくるはずです。情景やイメージが変わると、それがたとえ同じ物でもまったくちがう意味をもつことになる。それが「おもちゃ」だと聞いた人は「楽しいもの」だとプラスに解釈するかもしれない。「にせもの」と聞いた人は「良くないもの」だとマイナスに解釈するかもしれない。

言葉が物のほうを変えているともいえます。

それを聞いた人が次に伝える時には、「娯楽」として話すかもしれないし、「詐欺」みたいな意味で話すかもしれない。おおちがいですね。

わたしたちが発する言葉というのは、ひとつひとつにその人独自の解釈が交じっています。言葉を使って話したり書いたりするというのは、その「解釈」ごと人に伝えること、**だれかと言葉を交わすというのは、他者と「解釈」をやりとりすることなんです。**

これはまさに翻訳にもあてはまることです。

日本語の成り立ち

ここで、日本語の成り立ちについて、少しお話ししておきましょう。

日本語のなかでも音読熟語の「和製漢語」と言われるものの多くは、西洋の言語からの翻訳語と言われています。恋愛もそうです。ほかにも数えきれないほどたくさんあります。文化、文明、思想、法律、経済、宗教、理性、意識、科学、時間、空間、文学……。

近代日本語は翻訳をとおして築かれてきたと言っても過言ではありません。しかしそれよりはるか以前から、日本語はとても翻訳と親しい間柄だったのです。

日本は飛鳥時代から奈良時代、平安時代にかけて中国から多くの漢字とさまざまな考え方を取りいれ、書き言葉を発達させました。漢語をたくさん借りいれたほか、もともとあった大和言葉にも漢字をあてたり、また、中国にないものや概念には、漢字を組み合わせてあてたりしました。つまり、広い意味での翻訳作業がさかんにおこなわれたのです。さらには、カタカナもひらがなも漢字からできたものですね。カタカナは漢字の一部から成り、ひらがなは漢字をくずした形をとっています。

そうして十九世紀の終わり、つまり幕末から明治維新のころになると、こんどは西洋の国々からいろいろな文化、思想、芸術が怒濤(どとう)のごとく入ってくるようになります。

漢字かな混じりの独特なスタイルをもつ日本語は、かなり輸入資源と翻訳にたよっている言語とも言えると思います。

こう書くと、なんだか独自の文化がないような、頼りないような感じがするかもしれませんが、そんなことはありません。外国の文字や言葉を柔軟に取りいれて、特異な文化を作りあげてきた強靭な言語とも言えるでしょう。これだけ他言語から自由自在に言葉を借用し、上位にある文明文化の良いところだけ充分にいただいて、しかし決して相手の言語に屈して支配されたり、飲みこまれたりすることがありませんでした。こんなにちゃっかりした、いやいや、しっかりした言語は世界でも類を見ないと思います。

じつは英語も最初は十五万人ほどの言語人口しかない「小さな言語」でしたが、自分より進んでいたり優位にあったりする他文化・他言語に出会うと、すぐれたところをすいすいと吸収し、言葉をばんばん吸収し、よぶんなものは捨てて柔軟に変化してきました。だからこそ、いまの世界共通語という地位にあるのでしょう。

しかし現在、世界の共通語となっている英語にも、かつては頭のあがらないボスのような言語がありました。英語の母国イギリスでは、聖典など人間の存在の根っこに関わるような重要文書に使われるのはラテン語でしたし、十一世紀半ばすぎから十四世紀半ばまではフランス語に支配され、十八世紀半ばまで法の場にはフランス語が公式言語として残っていました。また、ヨーロッパでは、フランス語ができるのは貴族や上流階級の人々には当然とされていた時代も長くありました。

言語にははっきりとした社会的な序列があって、英語はその序列からいったら下っ端の「ローカル言語」だったのです。もちろん、これは言語自体の優劣や上下を表すものではまったくありません。

ともあれ、世界に何千とある言語の多くには、書き言葉としても話し言葉としても、自分より「上位」の言語に支配または影響されてきた歴史があります。日本語は中国語や西洋の言語や文化を師と仰ぎ、それに学び、それに倣い、役に立つものはなんでも取りいれながら、言語としては、文化的・政治的に独立した立場を維持してきました。「後進者」としてスタートし「先進者」の仲間入りをこんなふうにやってのけた言語は、じつはかなり稀だと思います。この話はまたあとでしましょう。

第三章　訳すことは読むこと――想像力の壁を広げよう

1　*The Missing Piece* 登場！

さて、これから六年二組は、ある本の翻訳に挑戦します。読者のみなさんも一緒にトライしてみてください。

今回翻訳するのは、シェル・シルヴァスタインというアメリカの作家が書いた *The Missing Piece* という絵本です。もしかしたら日本語の翻訳で読んだことのある人もいるかもしれませんね。一九七〇年代に発表されたこの作品は、いまでも世界中で読み継がれています。

日本には一種類だけ翻訳があります。これはある小説家によるもので、歴史的な名訳だと言われています。* ちょっと専門的な話になりますが、出版された本には著作権というものがあるので、だれでも好きに翻訳してそれを発表していいわけじゃないんです。とくにこの本については、作者の死後五十年たつまで、独占翻訳権といって、いま言ったひとりの人しか翻訳出版できない約束が交わされています。

でも、今回は特別に、シェル・シルヴァスタインさんのご遺族から、六年二組の授業のために許可をもらいました。つまり、六年二組のみんなは日本で歴代二人目の翻訳者になるわけです。これは、大変なことですよ。いままで、その作家以外は誰も訳して発表していないのです。正直言って、わたしも新訳してみたい、うらやましいです（笑）。

HarperCollins Publishers, 1976

ころがって出会ってまたころがって

最初にストーリーだけざっと紹介しておきましょう。

＊倉橋由美子訳『ぼくを探しに』（講談社）

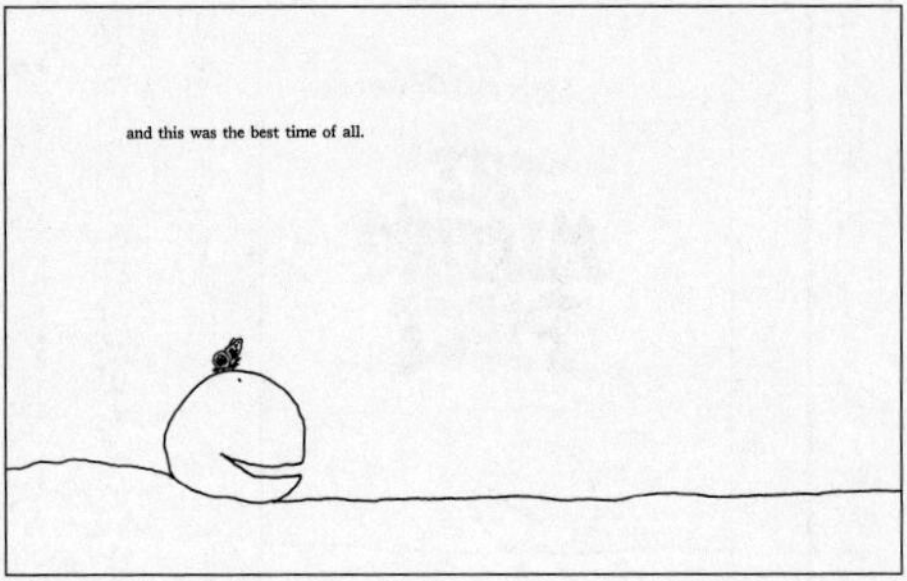

なにか丸っこいものがいますね。でも、ピザからひとかけらを切りとったみたいに、すきまが空いています（右図）。おや、ころがりはじめたみたいですね。何をしに行くんだろう。どんどんころがっていく。「song」っていう言葉があるか

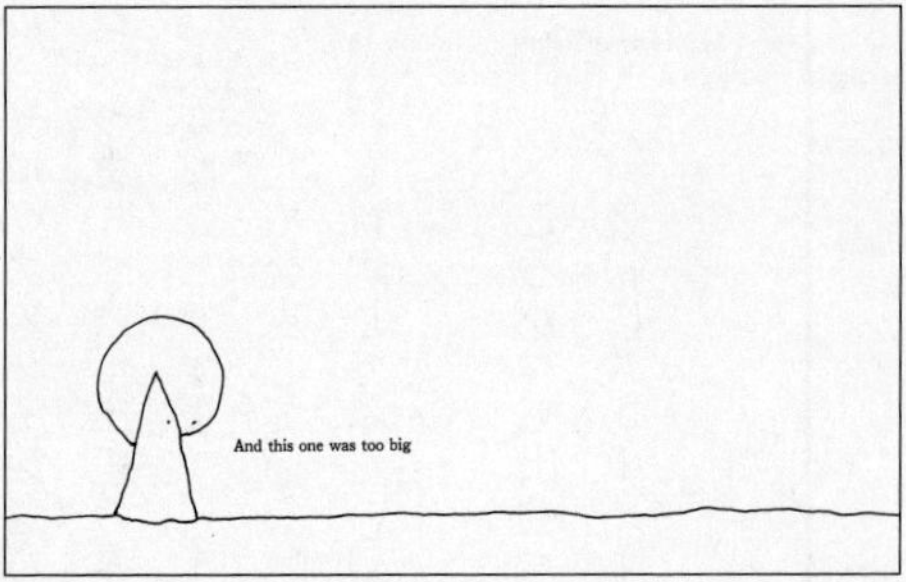

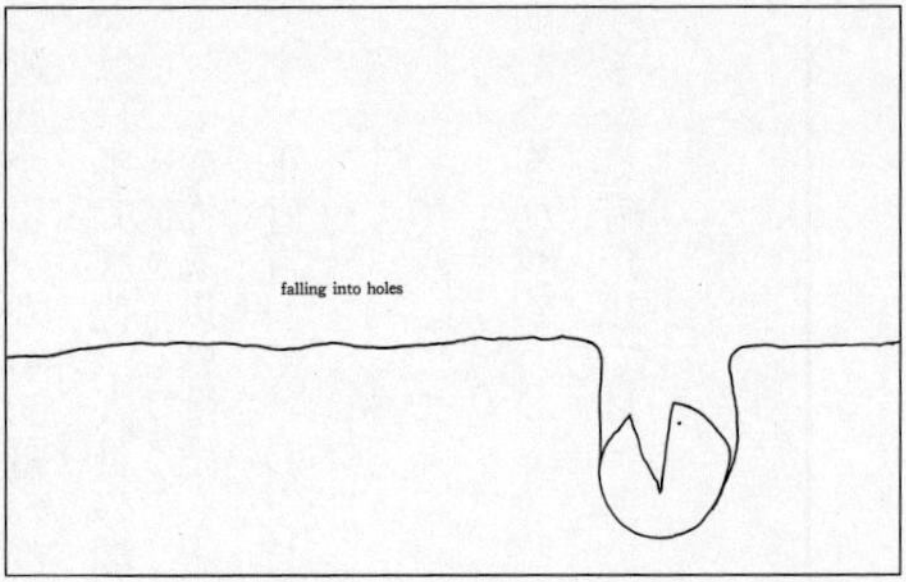

①

②

③

ら、なにか歌っているのかもしれませんね。大きい口をあけて歌っている。

次のページでは、汗をかいて暑そう。

と思ったら、今度は、空からなにか降ってきました。かと思えば、こんどは雪かな？　雪に凍えているように見えますね。いろんな目にあってる。

形がちょっぴりいびつだから、あんまり速くはころがれないようです。おやおや、なにかと出会いました。ちょっと虫と立ち止まってお話ししたり。

それから、花があったらこんなこともする。「Beetle（カブトムシ）」、を追い越したかと思えば、今度はカブトムシに追い越されたり。

最高だったのはこんなとき。チョウが来て止まってくれた（①）。

この丸っこいものは、どんどんどんどん旅していきます。海も越えていっちゃう。沼地もジャングルもくぐりぬけて、どんどんどんどんころがる。

山を登ったり、山をころがりおりたり。そうしたらある日、なにかに出会いました。なんだろう？

ところが相手の三角のものには、「I'm not your missing piece.」って言われちゃった。「わたしはあなたのものじゃないよ」みたいなことを言っているのかな。「わたしは誰のものでもないよ」って、はっきり言われてしまった。

そうしたら、この丸いものは、「そうか、じゃましてごめんね」と言って、またころがっていった。

そのあと、またまた違うかけらに会いました。でも、これは「too small」、小さすぎた。ちょっとあってない。

そして、次は「too big」、大きすぎて、入りません⑵。次は「too sharp」、とんがりすぎてて、痛い。これもだめ。次は「too square」、四角くて角張ってて、入らない。

それから、またあるとき、なにかに出会って、でもこんどはしっかりつかんでなかったから、はぐれてしまいました。

また、別な時は、あんまりしっかりつかんでたら、相手がこわれちゃいました。残念ね。みんなもあんまり大事なものをギュッとつかんでると、こわれてしまうことってない？

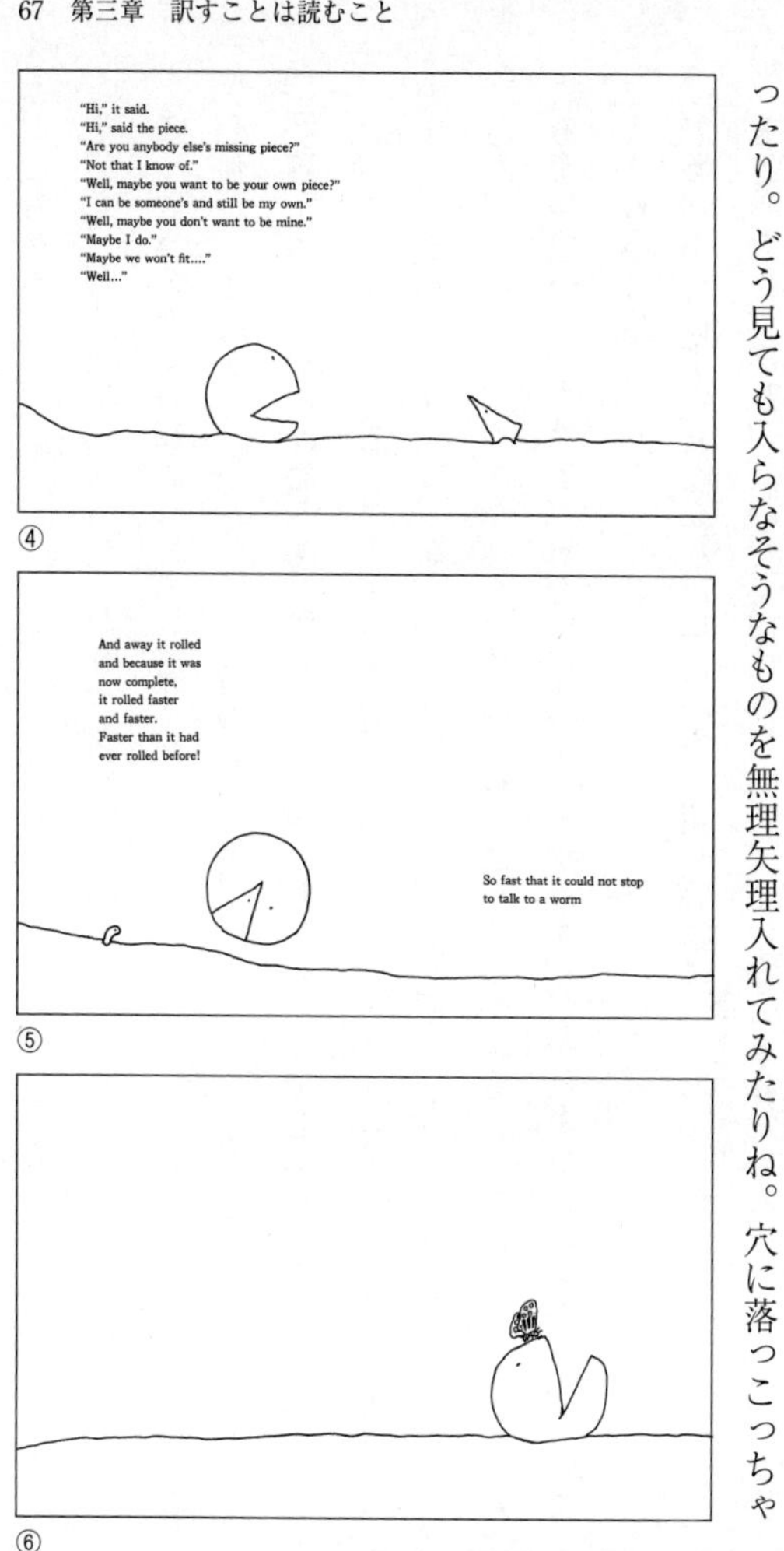

まあ、恋愛の場合などはしばしばそういうことがあります、はい。
それから、この丸いのはどんどんどんどんころがっていきます。無茶苦茶なことやったり。どう見ても入らなそうなものを無理矢理入れてみたりね。穴に落っこっちゃ

うこともある（③）。

そして、石の壁に突き当たったり、なにかにぶつかったり。

こういうのを試行錯誤って言いますね。

それからまたある日、なにか三角のものと出会います。ふたりで話してますね。「Hi, Hi」って。なにか話しあってます。何を話しているんでしょう（④）。

次のページ、「Hummm?」「Ummmm!」って言いながら、ふたりがひとつになっています。まん丸くなって、なんだかうれしそう。「At last!」と言ってます。

さあ、こんどはすっかり丸くなったから、速くころがれる。それ行けー。どんどんころがっていく。だけど、あんまり速くころがるから、それまでとはちがういろんなことが起きる（⑤）。

でも、やっとまん丸くなれたんだから、楽しい歌は歌えるんじゃないかな？と思ったら、あれ、だめだ。口にものが入っているときみたいな、しゃべりかたになってしまう。

そう、まん丸くなったら歌えなくなってしまった。

そして、どうしたかというと、下を向いて、せっかく出会った三角なのに、地面においていってしまいました。そして、また優しい声で歌います。これ、最初の歌と同じです。

「Oh I'm looking for my missing piece. I'm looking for my missing piece. ...looking for my missing piece.」。そしたら、チョウも止まってきました（⑥）。

これで、おしまいです。

だいたい絵を見てるだけでも、どんな話かはわかったかもしれませんね。この丸いものがどこかを旅して、いろんなものに出会って、いろんなものを探して、三角と出会って、また別れ別れになって去っていくという、すごくシンプルなお話でした。シンプルだけど、世界中で長く読みつがれている名作絵本なのです。

辞書を引いてみる

では、*The Missing Piece* と英和辞書をひとり一冊ずつ配ります。

いまの公立小学校では英語科目が必修になっていますが（二〇一二年当時）、先生にお聞きしたところ、口頭でのやりとりが主で、読み書きは授業であまりやらないとのこと。

二組のみんな、英語の本って短いものでもいいけど、一冊通して読んだことある人はいますか？

あっ、いますね。どんな本を読みましたか？

「絵本。眺めるだけだったけど」

「ちっちゃい子向けの薄い絵本。タイトルは覚えてないけど、ちっちゃい時に読み聞かせで読んでもらったんです、お母さんに」

うん、わからない単語は飛ばして、わかるところだけ拾い読みするのでもいいんですよ。いまは一冊読み通すということが大事だから。それから、読み聞かせでも、ずっと印象に残っているシーンとか単語とかきっとあるでしょう。小さい時のそういう記憶は宝物。へんな響きの言葉だなあぐらいに思っていたものが、ある日突然、ぱっと理解できて大きな意味をもってきたりします。そういう言葉の芽は大事にとっておいてください。

では、この *The Missing Piece* に出てくる単語を引きつつ、辞書の引き方の練習もしながら、ちょっとゲームをして遊びましょう。わたしの考えた「アルファベット福笑い」です。

アルファベットを順番に黒板に並べて、目隠しをした子が、みんなに教えてもらって文字を拾い、絵本に出てくる単語を作っていきます。単語の並び順を体でしっかり頭に入れておくと、これから辞書を引くときに楽ですからね。

最初はセイヤくん、お願いします。目隠ししますよ。残りのみんなは、Aグループと Bグループに分けようかな。で、Aグループの人はセイヤくんが、文字を順に拾ってこの単語をつづれるように、もっと右とか、左とか指示してください。Bグループの人は、いっしょにこの単語を自分の辞書で引こう。電子辞書を持ってきた人はそれを使ってもいいですよ。

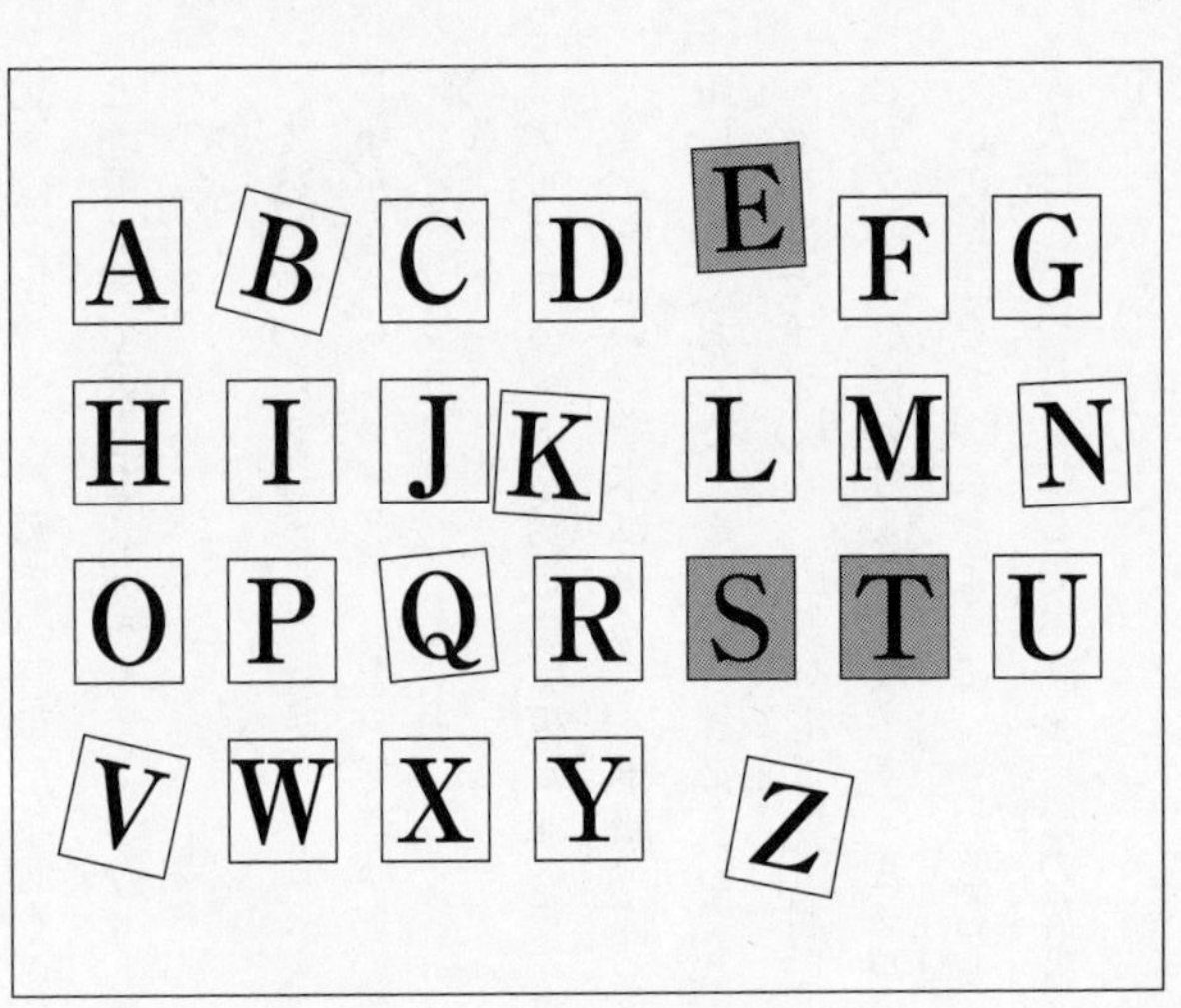

最初はこの単語。「set off」の「set」です。

Ready, go!

「右右右右右右下下下下、そこ！」

「右右右右右右上上上上上左左左左、それ、それ、それ！」

「左左もっと左下下下、それ！」

Bグループは、「set」を引けましたか？　その「set」の下のほうに、太い字で書いてある箇所がありますね。「set aside」「set in」「set off」「set out」……。

日本語でも熟語ってありますが、ここに太字で書いてあるのは英語の熟語なんです。
「set off」っていうの見つかった？　なんて書いてありますか？

「出発する」

うん、「出発する」と書いてありますね。「始める」「取りかかる」という使い方もあります。この熟語はあとで使うから、頭のすみに入れておくか、ノートに書いておいてください。

次はアサミさん、お願いします。こんどは「miss」です。

「右右右右右右下下下下、ストップ、それそれ」
「左左左左左、ストップ、それ」
「下下右右右、ストップ」

はい、Bグループも引けましたか。この「missing piece」の「miss」はタイトルの「missing piece」だし、とくに大事な単語だからよく見ておこうかな。どんな意味が載っていますか？

「〜を逃す、〜をしそこなう」
「〜を捕えてそこなう」

そう、なにかをしようとしてしそこねることです。以前、アメリカのレーガン大統領が、狙撃されたものの助かり、のちに「You missed me.」とジョークを言ったという逸話があります。「仕留めそこねたね」という余裕のせりふです。ほかに電車をmissしたと言えば、「乗り遅れた」ということです。

では、辞書に二番目の意味はなんと書いてある？

「〔進行形で〕（必要なものを）欠いている*」

そうですね、なにかが足りない状態を表します。
三番目にはどんな語義が載っていますか？

「～がいなくて寂しく思う」
「～がないのに気づく」

そう、日本語の感覚からすると、この用法がむずかしいかもしれない。日本語でいちばんたくさん使うのは二と三に近い意味なんです。絵本の一ページめを開くと、「～がないのに気づく」なんていう言い方、日常生活でよくするかな？　でも今日、すぐに出てくるでしょう。

＊『プログレッシブ英和中辞典』第5版、小学館刊

じゃ、もういきなり翻訳をはじめちゃおう。

「ええ〜〜っ」

だいじょうぶ、だいじょうぶ。みんなは翻訳に必要なこと、もうだいぶ覚えたと思う。翻訳に必要なのは、英語の文法知識や辞書だけじゃないんですよ。作文を書いたり、コウモリになったり、絵を描いたり、あれはぜんぶ翻訳していく上で大切なことです。訳文や訳語というのは、辞書のなかではなくて、みんなの頭のなかから出てくるんですから。

では、最初の一文。

It was missing a piece.

いま、「miss」という単語は辞書で引きました。絵も見ながらでいいから、この文の意味がなんとなくわかった人いますか。なんとなくでいいですよ。

コウシロウ「完全な円から、いっこのちっちゃい部分がないっていうこと」

そうそう、そういうことだよね。さっき、「miss」の意味に「〜がないのに気づく」とありました。じゃ、わたしが訳してみますよ。

それは、なにかがないことに気づいています。

なにを言いたいのか、わかりにくいですよね。痒いところに手がとどかない感じがする。ということは、まだこの訳者（わたし）の解釈が原文の核心にまで届いていないのです。なにかをつかみきれていない。これは英文和訳では及第点ですが、翻訳ではほとんど仕事をしていないのと同じなんです。では他の訳はありますか？

ユキオ「なにかが欠けている」

「欠けている」、いいですね。①たんに「ない」というのと、②あったはずなのに「なくなった」というのと、③元々あるべきなのに「ない」というのは意味が違うものね。「欠けている」は、二番目と三番目の意味になりますね。

そう、「miss」の「ない」には、「あったはずのなにか、あるべきなにか」という考えが前提にあるんです。「生物進化のミッシング・リンク*」などと言いますね。あるべき繋がりが見つからないということです。

例えば、ここに一本のジュースがあるとするでしょう。それを五人で注ぎ分けます。四人目まではコップにいっぱい注げたんだけど、五人目は半分までしかなかった。辞書の言い方を借りれば、「ないことに気づく」わけです。こういうときなんて言う？

あれっ、ジュースが……、

「足りない」。

そうそう、「足りない」とも言いますね。「ないことに気づく」というのは「足りないと感じる」というのと、ときに同義です。

でも、「足りない」って、意外とややこしい言葉なんですよ。「miss」も同じようにむずかしい。いまの五番目の人、半分までしかジュースがなかったでしょう。他の四人に比べたら、missing のように見えますね。だけど、もし五番目の人が、「いや、僕は半分でいいよ。足りるよ、充分だよ」って言ったら、どうでしょう。これは彼としては、足りていることになるのね。一方、コップいっぱいにジュースを注がれても、「こんなんじゃ足りない。もっとほしい」と言う人もいるかもしれない。

何が「missing」で、何が「missing」じゃないか、**何が足りていて、何が足りていないかというのは、多くの場合、それぞれの感覚によって違う。**前に話した「主観」ということです。「miss」は状況を表しているだけでなく、ある意味、感情も表す動詞なんですね。

いまお話ししたこと、何が足りていて、何が足りていないか、それは主観で決まる面があると言いましたが、これはこの絵本を読むときに大切なことなので、頭のすみ

＊生物の進化・系統のなかで何かと何かの間にあることは予想されるのに発見されていない化石のこと。

に入れておいてください。

たぶん、みんな「miss」の意味はもう直観的にわかっているんだと思う。「miss」は人間に対しても使えること、知ってますか？「I miss you.」という言い方もします。どんな時に言うと思う？

タカシ「相手がそばにいないとき」

そう。「いない」ことを痛切に感じる相手ってどういう人でしょう。きっと大好きな人、とても必要な人でしょうね。「あなたがここに足りない」って感じているわけです。つまり、「ほんとうはいるべきなのに」「いたらいいのに」という気持ちですね。だから、「あなたが恋しい」とか「あなたに会いたい」と訳したりします。

ちょっとむずかしい単語だけど、だいたいわかってくれたんじゃないかな。じつを言うと、この絵本でいちばん訳すのがむずかしいのは、この最初の一行なんです。みんなはそこを半分ぐらい乗り越えつつありますよ、だいじょうぶ。
とにかく、この丸いものは、自分にはなにかが「missing」だと感じているんですね。それで、そのあと、「It was not happy.」って書いてあります。これ、どんな意味でしょう?

ユキオ「happyじゃないって言っているから、『悲しい』ってこと」

そうだね、悲しいかもしれない。他の訳し方は、ある?

ナオヤ「満足できなくて、少しもの足りない気持ち」

ああ、すごく良い訳ですね。丸いものの「happy」に近づいてきた感じがします。いまみんなが使っている、『マイスタディ』という初級辞書だと、「happy」には「うれしい」と「しあわせな」しか意味が載ってないんだけど、もうちょっとくわしい辞書を引くと、「満足する」という意味も載っています。「happy」は「sad」（悲しい）の逆の意味の他に、満ち足りた気持ち、自分の願うものが達成された、「missing」でなくなった、という心境を表す場合もあります。

では、だいたいこのページはわかりましたね。今日のところは、意味がぴんときたら、ひとつひとつの単語を辞書で引かなくてもいいですよ。想像力で補っていきましょう。

では、次のページ。

So it set off in search of its missing piece.

「あっ、〝set off〟ってさっきなかった?」

「出発する」

そうそう、もうわかっちゃったね。

次の「search」がちょっとむずかしいかな。インターネットの用語でサーチエンジンってありますね？　検索エンジン。「search」、辞書で引いてみましょう。「探す」ということですね。「in search of」という熟語、太字で書いてあるところですよ、そういう熟語がないか見てみてください。……ありますね。なんて書いてある？

「～を探して」

そうです。じゃ、だいたいの意味がわかった人？

モエ「なにかを探してる」

そのとおり！

ヒナタ「その足りない部分を求めてっていうか、足りない部分を探す旅に出発する、みたいな？」

良いですね、文句のつけようがないです（笑）。

そうですね、「探して」は「求めて」と言ってもいいです。そうやって辞書の語義を自分なりの言葉に消化していけると、さらに良いですね。

いまのヒナタくんの訳は自然に出てきた感じだから、「原文がよく理解できている」ということです。よくわかっていないのに、日本語だけこなれた感じに見せようとしても、意味がずれてしまったり、かえってぎごちなくなったり、だいたいうまくいきません。**訳文は辞書のなかからは出てこない。あくまで原文のなかからみんなの頭を通して出てきます。**

あと、たんに「出発した」ではなく、「旅に」と目的語を補うだけで、ずっとわかりやすくなりますね。すごいなあ、もうけっこう訳せてきました。と、こんな感じで辞書を使って訳していってください。

これから六班に分かれて、グループで翻訳作業をしてもらいます。

読者のみなさんもできたらこの原書を用意して、いっしょに読んでいきましょう。

こんどは辞書と格闘しよう

では、メモパッドぐらいの大きさの付箋(ふせん)を配りますから、みんなで話しあって、訳文が決まったら、この付箋に書いて本にぺたっと貼ってみてね。そしたら、自分たちだけの翻訳書のようになるでしょう。

翻訳は答えがひとつではないから、グループでやったら、ぜったいに意見はぶつかると思うんです。ぶつかっていいです。ぶつかってください、むしろ。

だけど、ひとつお願いしたいのは、自分の意見を主張することも大事だけど、積極的に人の意見にも耳をかたむけてほしいということです。翻訳というのは、もともと違う言語と違う言語、違う文化と違う文化が出会う場だから、「ぶつかる」ことは自然現象なのね。間違ってもすんなりなんていきません。でも、相手の立場に思いをめぐらすというのも、翻訳者の大事な仕事です。

では、次の一ページは、みんなだけで自力でやってみよう。

And as it rolled

it sang this song—

"Oh I'm lookin' for my missin' piece
I'm lookin' for my missin' piece
Hi-dee-ho, here I go,
Lookin' for my missin' piece."

今日は一語一句正確に訳そうと思わなくていいですよ。最初は辞書をたくさん触って、めくって、いじってみてください。辞書とあそぶ時間ね。

「作業分担とかアリですか？」

それはその班、その班のやり方だから、自由にやっていいですよ。わたしは班の間をぐるぐるまわって見てますから。

はい、六班、「sang」が辞書に出てなかった？　ちょっと目立たなくて小さく出ているかもしれませんよ。「過去形」と書いてあったら、いまより前に起きたことを表す形なんです。そう、「歌う」じゃなくて「歌った」。またわからないことが出てきたら訊いてください。

二班はうまくいっているかな？

男子「だって辞書に男性って出てるよ。だから、ここは『ころがる男』って意味じゃね？」

女子「なんで、ここに性別が関係してくるわけ？」

男子「だから、この丸いのは男つうかさ。ころがるエドなんだよ」

鴻巣「あの、エドってだれ？」

男子「Edって E が大文字になった単語がのってて、名前みたいなんです。ひとつの単語が、ここで分かれるのかなと思って引いたら、そう書いてあった」

……あっ、「rolled」ですね。このままの形だと載ってないから、「roll」と「ed」に分けたのですね。「ed」を辞書で引いたら、エドという男性名が出てきた。エドワードなどの略称です。

さて、ここは、「ころがるエドくん」という意味でしょうか？　うーん、ちょっとちがうみたい。これは英語のルールなので、みんなにお話ししておきます。動詞の最後に「ed」って付いてたら、今より前に起きたことを表す形になる場合があります。過去形と言います。「ころがる」じゃなくて「ころがった」。エドくんじゃなくてね。この「ed（イーディー）」は過去形を作る「接尾辞」というものです。

見ていると、まず細かくぜんぶ単語を書き出す人や、勘を働かせてやっている人、一文一文分担制にしてる班もあり、それぞれですね。

カンタ「さっきのころがるは、『ころがった』って過去形になるから、『ころがったら、歌をうたう』かな」

うん、ころがってから歌ったのかな。ころがるのと歌をうたうのって同時にできる？　できるよね。そういう「同時にする」とき、日本語でどういう言い方をするだろう？」

カンタ「ころがり……ながら。ころがりながら歌った？」

　絵を見てもそのほうが自然かな。as... には「〜しながら」という意味もあります。

　はい、なんですか？「Oh, I'm looking for my missing piece.」の「looking」が辞書にないですか。「ing」をとって「look」で引いてみてください。引けたら、「look for」という熟語を探してね。

　はい、四班は、「piece」が訳せないですか？　ピースってほら、パズルのピースとかあるよね。あの時のピースと同じ。

男子「ここに『くだけた』って書いてあるから、粉々にくだけた欠片（かけら）ってことだと思う」

鴻巣「えっ、くだけた欠片って書いてあった?」

男子「〝I'm looking for my missing piece.〟の〝I'm〟って辞書で引いたら、〝I am〟のくだけた表現って出てきました。だからピースがくだけたのかなって」

そうか、「くだけた表現」ですね。くだけた言い方とか。どういう意味だろう。じゃ、こんどは国語辞典を引いてみてね。わたしも中学生のころ、英和辞書に書いてある日本語がわからなくて国語辞典を引くということが時々ありました。そうですね、かしこまらない、気取らない、ざっくばらんな表現ということです。ピースが砕けたわけではないようですね。

はい、六班、「Hi-dee-ho, here I go.」の最初の言葉はかけ声ですよ。みんなの辞書には載ってないようだけど、『白雪姫』のこびとたちはなんて言いながら登場する?

「ハイホー、ハイホー」

そう、それと同じ出かけるときのかけ声ね。ハイ・ディー・ホー。

では、だいたいできた班は、手を上げて。じゃあ前に出て、発表してもらおうかな。まず六班、どうぞ。

「そして昔と比べて今は、なにかが足りないから歌える。驚きと喜びを求めて、わたしは旅をしている。……そこまでです」

「missing piece」が「驚きと喜び」になったのかな。いいですよ。実際、そういうお話だと思う。

じゃあ次は五班。まだ途中でもいいですよ。

「ああ、なんかうまくころがれないなあ。なにか歌を歌おう。ああ、自分の姿を見て、どこに自分の足りないものがあるのか」

自分の姿を見ながら、どこに自分の足りないものがあるんだろうって考えているんですね。そう、よく感じが出ていると思います。こまかいところは後から考えてみましょう。

みんな充分に辞書とあそんだ？　もうくたくたっていう人もいるかもしれない。いまの作業でどんなところが大変だった？

「手が疲れたー」

手が疲れた。そうです。翻訳は手が疲れる。ひたすら辞書を引いて。

「ひとつの単語にいろんな意味があって、単語と単語が全然つながんなくて、意味がなかなか通らなかった」

そう、ひとつの単語に三つも四つも意味が書いてある。それは、ひとつの言葉をいろんな角度から見ているからなのね。どこから見た言葉をあてたらいいかは、翻訳者が決めるしかないんです。緻密(ちみつ)な作業ですね。

英語の単語や文法の知識というのは、英文を読み解いていく上で最も重要なものです。外国語というのは、けっして感性やセンスだけで読めるものではなく、しっかりした知識と読解力の土台があってはじめて、感性やセンスをいかすことができます。

　でも、英語というか外国語は、すごく精密に読むことも大事だけど、一冊の本を通して読むときには、わからない単語はちょっと飛ばしても、どんどん読み進んでみるということも、大事だからね。この単語はなんだろう、この「for」がわからない。あの「at」がわからないと言って、立ち止まってばかりいると大きな道すじが見えなくなってしまうこともあります。先に進んでみると、さっきのわからなかった箇所があっさりわかることもあります。

大切なのは、読むこと

今回の授業では、文法などの基礎を一からやる時間はなかったのですが、本を読み、翻訳する上でいちばん大事なことを話しておきたいと思います。

　それは**能動的に読む**、ということです。

　二組の翻訳作業をさらに進める前に、日本の翻訳文化の土壌について少しふれなくてはなりません。

日本には「原文に忠実で中立的な翻訳」を尊重する傾向がむかしからあります。おそらくそれは、日本が主に翻訳してきた外国語、つまり西洋の諸言語と日本語は、文字の種類から文法構造や発音法までが、根本的に異なっているため、原文から大胆に離れることには不安感が生じるのでしょう。西洋の言語同士であれば、けっこう冒険的な翻訳をしても、言語のもともとの造りが似ていますから——少なくとも日本語に比べれば——あるていどの枠内におさまり、そうかけ離れたものにはならないのです。しかし世界の言語でも特異な部類に入る日本語の場合は、翻訳する時に、なにかの規則性なり一定の拘束なりの制御装置をもうけないと、いきおい無法地帯に突入して、「翻訳の必然性」というものを確立できなくなります。これは翻訳者にとって、とても怖いことなのです。「この原文はこうだから日本語にはこう訳すのが適切だ」というガイドライン（多くの場合は、学校で習う英文和訳を下敷きにしたもの）に沿って訳すのがいちばん安心かもしれません。

受動的な読み方をしていると、こういう訳文になることが多いです。

先にも言いましたが、学校のテストの英文和訳というのは、先生と生徒が型どおりの同じ手順、同じフォーマットを共有していないと困るのですね。もしフリースタイルで訳されたら、先生はその生徒が、授業の何をわかっていて、何をわかっていないのか、正確に判断できなくなります。例をあげると、制限用法の関係代名詞なら後ろから訳しあげないと、「授業の内容を理解しました」というサインになりません。外国語学習の基礎を身につけるには、ひたすらパターンを反復する筋トレも大切です。

余談はともかく、ガイドラインに沿った受動的な翻訳を「中立な翻訳」として良しとする流れが日本にはあったと言っていいでしょう。「翻訳者は黒子であるべき」とか「翻訳者はフィルターのようであるべき」といった考え方がいまでも根強く残っています。これは正しいのですが、「原文に忠実で正確な翻訳」をするには受動的であるべし、翻訳者は主体的であってはいけない、という考え方は少しちがうのではないかと思います。

みなさんに言っておきたいのは、原文に忠実で的確な翻訳を目指すのであれば、むしろより能動的に読む必要があるということです。受動的（機械的）な言葉の置き換えに終始しているかぎり、原文の核心には手が届きません。さっき、最初の一文を

「それは、なにかがないことに気づいています」と辞書の語義どおりに訳しましたが、何を言いたいのかよくわからなかったでしょう。これでは他者（読み手）になにも届けられません。

自分のほうから原文に働きかけるようにして、読んでください。英語で言うと、commitmentということになるでしょうか。言葉と「関わりをもつ、そしてその関わりを引き受ける」ということだと思います。堀口大學という詩人にしてフランス詩の翻訳家は、そのように能動的に読み、翻訳することを、「詩に参加する」と表現しました。大學の翻訳については、野崎歓『われわれはみな外国人である』（五柳書院）という本にくわしく書かれています。ちょっと分厚い本ですが、もっと知りたい人は読んでみてください。

では、具体的にどうコミット（commit）していけばいいかは、また翻訳の現場をとおして考えましょう。

「楽しそう」から「楽しい」へ——主語は訳さなくていいの？

では、この本のクライマックスシーンから最後までの二十四ページを、みんなに丸ごと訳してもらいます。さっきの五班と六班の翻訳、とても良かったですよ。この調子でやってください。

みんなの翻訳を見てびっくりしたことがあります。

じつは、絵本の冒頭を訳すときものすごく困るだろうなと、スタッフの人たちとも話していた最大の問題を、いともあっさりとクリアしていたからです。

それはですね、「it」っていう主語をどう訳すかということ。

この絵の丸いものを指しているというのはわかると思います。でも、これは、「he」とか「she」ではなく、「I」でもなく、「it」と書かれているんですね。男なのか女なのかもわからない。

「it」を辞書で引くと「それは、それを」などと載っています。英語の文章を読むときにとても大切な人称の話をしておくと、「I」が一人称、「you」が二人称、わたしでもあなたでもない「she/he/it/they」などが三人称です。

だから、この絵本は三人称文体で書かれているんですね。

ところが、六年二組の翻訳はこうなっていました。

そして昔と比べて今は、なにかが足りないから歌える。驚きと喜びを求めて、わたしは旅をしている。（六班）

ああ、なんかうまくころがれないなあ。なにか歌を歌おう。ああ、自分の姿を見て、どこに自分の足りないものがあるのか。（五班）

六班がいきなり「it」を「わたし」と訳したのもびっくりでしたが、この点については後でまたお話ししましょう。

逆に五班は、「it」という主語をとくに訳していないですよね？　これも注目点です。自然に出てきているところがすばらしい。

英語の構文には基本的にかならず主語があるのですが、日本語は英語ほど主語を入れません。というより、主語を入れすぎると情報過多で意味不明になることもあります。

ちょっとここで、「わたしは世田谷線」の作文を思いだしてみましょう。

第一章で紹介できなかったユウマくんの作文を読みます。

　毎日大人や子どもなど色々な人に乗ってもらえてうれしい。毎日外に建物が見えたり人の声が聞こえて楽しい。

それからコウガくんの作文。

　風を車体にふれながら気持ちよく休まずに走りみんなにかいてきに乗ってもらい自分も終点まで走りぬけ現役を引退しても子供や子供の時に乗った人たちが展示している電車に遊びにきてくれてうれしいです

ふたりとも一回も「僕は」「わたしは」って書いていないんです。たぶん、完全に世田谷線の気持ちになっているから、言う必要がないのかな。みんなも、とってもおなかすいたとき、「わたしはおなかがすいた」って言うかな。「おなかすいた！」って言うでしょう。すごく怒っているとき、「ぼくは怒っている」ってあまり言わないでしょう。「頭にきた」とか「腹たつなー」とか言うでしょう。英語だと、どんなにお腹がすいても、「I'm starving.」というふうに主語が入りますね。

でも、日本語って、「だれが」というのをとくに言わなくても、話が通じる言語なんです。しゃべっている人、書いている人を起点にして、だれかにむかって語りかける。だれの立場でものを言っているかという「視点」と、どこに向けて語っているかという「方向」が明確であれば、よけいな主語はむしろ理解の妨げになることもある。

だから、英語には「I」や「you」や「it」などの主語がついているけれど、必ず訳さなくてはいけないということはありません。いまの作文では、「わたし」や「僕」という言葉が消えてしまうほど、ふたりは世田谷線に近づいて、ほとんど一体化しているのかもしれませんね。

コウガくんの作文なんて最後まで「、」「。」もないんですね。作文としては「句読点を入れましょう」と注意されるかもしれないけれど、風とひとつになって走りぬけていくようすが文体でも表現されていてすばらしいと、わたしは思います。

ぴゅーっと走っていく電車は「、」なんか打つ暇ないでしょ（笑）。しかも読んでいくうちにすごい速さで時間までどんどん過ぎていって、終点まで走りぬけたと思ったら引退して展示され、最後は遊びにきた子どもたちを見て、おじいさんになった世田谷線が喜んでいるみたい。たった三行で世田谷線の半生を高速で圧縮して、駆けぬけていく姿と重ねて描くなんて、じつに文学的だなあ。こんなふうに個々の言葉というより、文体そのものによってようすを伝えるという方法もありますね。

ともかく、日本語は主語や時には目的語も訳さないほうがむしろ意味が明瞭になるということ、これもちょっと覚えておいてください。

最初はみんな、世田谷線って「人をたくさん運んで重そうだな」とか「のどかで楽しそうだな」とか「冬は寒いと思う」とか想像したと思います。けれど、想像のなかでだんだん自分が世田谷線に近づいてくると、「楽しそう」「寒いと思う」の「そう」

講談社、1977年

や「思う」の部分が無意識に抜け落ちていって、「楽しい」「寒い」になっていったのではないでしょうか。さらに、ユウマくんとコウガくんは主語もない自然な「語り」になった。

ほら、さっきの「I love you.」の翻訳の時も、タカシくんが「大好き！」って主語も目的語もなしで訳してくれたでしょう? 気持ちが盛り上がってきたら、そういうのは省略して言葉が飛び出すかもしれないですね。少なくとも日本語ではそういう表現方法が可能であり、ときには、より理にかなった文章になりうるということです。

さて、話はもどって、さっきの五班と六班の訳文です。五班の訳文は「〜なあ」という、この丸いものの語り口調になっていますね。これはまたびっくりです。日本にひとつだけあるといったこの本の名訳は、倉橋由美子(くらはしゆみこ)という小説家によるものですが、三人称の原文を「ぼく」が語っている一人称文体で訳しているんです。これは大変画期的な翻訳でしたが、六班と五班の訳文は最初から、あっさりとその境地に近づいています。わたしがときどき感じるのは、例えば、いまの翻訳家志望の大学生は、明治の大翻訳家が一生かかって編みだしたような翻訳技術を、はじめからデフォルトで持っているらしいということです。それは蓄積されてきた知恵であり、翻訳も時代とともに少しずつ進化しているのでしょう。

今日もこれからどんな翻訳が出てくるか楽しみです。

2　名作のクライマックスシーンを翻訳！

「It fit!」で起こったこと

では、これから六年二組のみんなが、いよいよ自力で古典的名作の新訳に挑戦します。読者のみなさんも、よかったら一緒に翻訳に挑戦してみてください。

翻訳するのは、丸いものと三角が出会ってひとつになる場面から最後までの、二十四ページ。絵がたくさん入っているので、文字の書いてあるページは半分ぐらいです。

はじめはこんな文章。

It fit!

It fit perfectly!

At last! At last!

二組のみんなの調子はどうでしょうか？

「At last」のところがわからなかったら、「at」ではなくて「last」のほうで辞書を引いて熟語の項目を見てみましょう。

ヤスシ「これでいいかなあ？　ちょっと一回見てください。『わたしの体に……わたしの体に完全に合っている。ついに見つけた。ついに見つけた』」

ちゃんと訳せていますねえ。「fit」はぴったり合うという意味です。

同じ「よく合う」でも、「fit」と「match」と「suit」は少しずつ意味が違います。

日本語でも「服が体にフィットする」とか「新しいスマホにマッチした薄型カバー」

なんていうふうに使い分けていますね。ちょっと整理しておきましょう。

fit　大きさや形が合っている。用途や目的にかなっている。
match　なにかと状態や質が釣り合っている。匹敵する。調和している。
suit　ある要件をみたしている。ふさわしい。似合っている。

例文を挙げます。

The hat didn't fit me.
その帽子はサイズが合わなかったという意味ですね。
The hat didn't match my dress.
その帽子は色や柄が服に合っていなかったという意味です。
That hat didn't suit the ceremony.
サイズが合わないというより、そぐわない、または不相応という意味。

はい、三班で質問があるようです。どうしましたか？

男子「先生、カミが出てきました」
鴻巣「神さまですか、どこに？」
男子「【ギリシャ神話】天空を両肩にかつぐ大力の巨人って辞書に書いてあります」
鴻巣「あ……それは、『アトラス（Atlas）』ではないの？〝At last〟をつづけて引いてしまったようですね。電子辞書だと字を自動的につなげてしまうんです。便利なような不便なような」
男子「紙の辞書でやったほうがいいかもよ」

電子辞書にも長所はたくさんありますが、紙の辞書のいいところは、近くにある単語をいちどきに全部見られることですね。あるていどの範囲が見渡せる。
さて、この場合は、「last」を引いて、熟語を探してみてください。

では、少し先のほうも読んでみましょう。

So fast that it could not stop to talk to a worm

「So」と「that」はペアで考えるといいですね。「あまりに～なので…できない」という熟語が辞書に載っています。「The book is so difficult that I cannot read it.」、その本はむずかしすぎて、わたしには読めない、ということです。だったら、さっきの場面はどういう意味だと思いますか？

チユ「ミミズと話したいのに、速すぎて止まれないから話せないっていうこと？」

「to」の訳し方がさり気なくうまいなあ、と思います。to不定詞の副詞的用法が入っていますが、これはなんでもかんでも「～するために」と紋切型で訳すことはないのです。「立ち止まって話すこともできない」と前から訳しおろしてもいい。でも、チユさんの訳、良いですね。

例えば、「I came home early to watch TV.」というのは、「テレビを見るために早く帰りました」と訳してもいいけれど、「テレビを見たいから早く帰ったんです」などとするほうが、意図がもっとはっきり伝わりますね。前に否定形が入るとさらに違いがわかりやすくなりますよ。

「I was not able to come home early to watch TV.」これを「わたしはテレビを見るために早く帰れなかった」と訳すと、結局何がしたくて、何ができなかったのか、若干フォーカスがぼやけてしまいます。「どこか余所でテレビを見ていたために早く帰れなかった」という意味に誤解されるかもしれません。また、「わたしは早く帰ってテレビを見られなかった」と、前から後ろに訳しても、なんだか「てにをは」の関節がねじれたような感じがします。間違ってはいないけど弱い翻訳です。しかし、

「テレビを見たいから早く帰ろうとしたけど、だめだった」

「今日は早く帰ってテレビを見るつもりだったが、できなかった」

というふうに、to不定詞で表現されている意思が訳出されると、訳文の輪郭がは

っきりしてきます。

訳文の読み心地は、ほんのひと言、ひと文字の小さな違いでぐっと変わるのです。

二組のみんなはだんだん読みこんできたようですね。さっきの一文のつづきが次のページにあります。見てみましょう。

(So fast that it couldn't stop to talk to worm)
or smell a flower

アズマ「花の匂いをかぎたいのに、速すぎてかげない」

そういうことですね。「smell」の前に「to」を補うとわかりやすいでしょう。

トウゴ「えー、おれ、意味わかんない」

アズマ「だから、完全な丸になっちゃったからさあ、すごい速くころがれるから、花の匂いもかげないっていうことだよ」

そうですね。すごく速い。じつはこの文章の前には、

It rolled faster and faster.

というふうに書いてありました。これは、どんな意味でしょう?「faster and faster」って二回くりかえしていますよ。二班はどんな具合ですか?

女子「ねえねえ、なに調べてるの?」
男子「〝er〟。でも、〝era〟(時代)しか載ってない」
男子「早く引いてくんないかな」
男子「先生、〝faster〟でひとつの単語なんですか?」
鴻巣「〝fast〟が『速い』という意味なのはわかったよね。こういう形容詞に〝er〟がつくと、『もっと~』という意味になることがあります。〝big〟に〝er〟付いたら〝bigger〟で、もっと大きいってこと」
男子「じゃ、かなり速いの?」

男子「かなり速く」
女子「かなり？」
女子「すごく？」
鴻巣「もう自分がころがってるぐらいのつもりになって。どんな感じかな」
女子「超速く？」
女子「二回言ってるから、むちゃくちゃ速く、めちゃくちゃ速く」
鴻巣「あっ、そのくりかえす感じいいね。うん、〝faster and faster〟って二回重ねている感じを日本語でどう表現したらいいか、考えておいてください」

さて、花の匂いをかげなかった、その後は、こんな文章です。

too fast for a butterfly to land.

ここは、「too～to...」というセットフレーズに注目ですね。二班ではどんなふうに訳しているでしょう？

男子「えーと、あったあった。着陸、着陸……」

男子「チョウがこいつの上に着陸するってヘンじゃん」

女子「丸いピースは『陸』じゃないでしょ」

男子「だって、ほら、見て、辞書に、ほら」

男子「だから、陸じゃないよ、こいつ」

鴻巣「そうだね、それに、『チョウチョ』も『着陸する』と日本語で言うかな？ でも、そういうところに気がつくのはいいことだよ」

男子「じゃあ、『着地』っていうのは？ あっ、『止まる』でいいよ」

鴻巣「うん、うん」

男子「あまりに速くてチョウが止まる」

男子「だから、そこ、『ひていひょうげん』って書いてあるじゃん」

男子「なに、それ」

鴻巣「ちょっとチョウチョの気持ちになってみようか。いままでは丸いものがゆっくりころがっていたから止まりやすかった……」
男子「あっ、否定というか、なんか逆みたいな気がする。止まれない、みたいな」
女子「あんまり速くてチョウが止まれない」

そう、ピースがぴったりはまりましたね！

「aha」でわかったこと
では、このページはどうでしょう。

"Aha," it thought.
"So *that's* how it is!"

三班の人はどう訳しているでしょうか。

男子「〝aha〟は、なるほど、わかったっていう気持ち。『急に思いだしたり、突然わかったりした時に使う』って辞書に書いてあった」
鴻巣「そうそう、ゆっくり『あああ、もしかしてそうなのかなあああ』ってぼんやり理解する感じじゃないのね。『ぱっと』というインパクトが表現できるといいな。あっ、わかった！ と思ったら、そのあとなんて言うでしょう、ちょっと丸いものの気持ちになって考えみて」
男子「なるほど、わかった。なるほど、わかった……そう来たか！」
鴻巣「そう来たか、いいですよ。ずっとかけらを探してころがってきたでしょ。やっとぴったりの相手が見つかった。そうしたらころころ速くころがって調子がいいんだけど、歌が歌えなくなっちゃったのね、チョウも止まってくれないしね。そこで、初めてわかったことがあるんですね。なるほど、わかった、そのあとなんて言うだろう」
男子「ないほうがいいんだ、ピースがないほうがいいんだ」

女子「なるほど、わかった、そういうことだったか！　っていうのはどうですか？」

そのとおり。that's how it is!

他人の気持ちを想像するときの第一歩は、「自分だったらどう思うか？」と考えることでしたね。今日は初めての翻訳作業ですから、「自分だったらどうするか、なんて言うか」と考えてみてください。あまり小さいところにこだわらないで、この花やチョウや丸いものの立場になって想像してみましょう。そのためには、登場人物がどんな状況にいるのか理解できている必要があります。いろんなヒントを見逃さないで。

語学力がついてくるほど理解へのカギやヒントがふんだんに得られることになります。だんだんと「自分だったら……？」という思考を通さなくても理解できるようになる。これが「**翻訳の過程で訳者が消える**」ということなんです。訳者が「黒子」になる翻訳というのは受動的（機械的）な翻訳のことではありません。

それから、辞書にはたくさんの言葉が載っていますが、**辞書の語義はたんなる言葉のドアにすぎないと思ってください**。ただのとっかかりです。それらは、あなたの頭のなかにある言葉たちを揺り起こして、外につれだすためのものなんです。

　言葉が想像力を目覚めさせたり、解放したりするということが、ときに起きます。想像力が言葉を引っぱってくるのじゃなくてね。どちらにしても大事なのは、あなたがその文章をどう読むかということ。受け身で単語をならべているだけでは、あなたの必要とする言葉や文章というのは決して近寄ってきてくれません。

　自分の頭のなかをさらってみると、いままで一度も使ったことないような言葉の場所というのが必ずあります。往々にしてそういう場所に、翻訳のミッシング・ピースはひそんでいます。言葉のミッシング・ピースを探すのが翻訳なんですね。

　とにかく翻訳というのは、原文の海のなかにどぼーんと飛び込んでずっと深海まで潜っていくような作業です。本当に苦しい。自分がまっすぐゴールにむかっているのかわからなくなることもあるし、とても不安な作業です。

　でも、ものをどう読むかというのは、ふだんどういうふうにものを見ているか、ということなんです。おおげさに言うと、あなたがどんなふうに生きているかというのが、文章や訳文に表れるということです。だから、翻訳というのは自分をさらけだす作業でもあります。

六年二組のみんなには最初に作文を書いてもらって、すごくよく書けているから、「もうちょっと想造力に無理をさせてほしい」と言いましたね。みんな、翻訳にとりくんで想像力に無理させましたか。つらかった？　言葉が出てこないときどうしましたか？

「とりあえずその単語を発音してみる」

いいですね。音も言葉の一部です。うれしい文章はうれしそうな音をしている。驚いた文章は驚いた音をしている。音だけではなくて、リズムもそうです。韻を踏んでいることもあります。韻ってライミング、ヒップホップで聞いたことあるでしょう。

他の人は？　どうしましたか？

「ごまかす」

ひとまず、それも大事、大事（笑）。前にも言ったけど、ひとまず先を読んでみるというのは、良いことです。どこかで急に視界が開けることがあります。

「絵を見て言葉を考える」

そう、今回は絵本だから、絵にもヒントがたくさんありますね。辞書ばかり見ていて先に進まないことは、わたしたち翻訳者でもありますよ。前から読んでも、後ろから読んでも、表から見ても、裏から見てもわからない。

そのうちに、「永久に終わらないんじゃないか」と思えてくる。だから、たまにはちょっと海面から顔を出して、外の景色を見て、頭を休める必要があります。自分のペースをオーバーすると読む力もおちますから、自分に合ったペースを見つけましょう。

訳文をブラッシュアップ(訳文発表)

それでは、二組の生徒たちに訳文を発表してもらい、その後にわたしが講評を加えるという形で進めたいと思います。読者のみなさんも自分で翻訳したものがあったら、用意してください。

まずは、五班から発表してもらいましょう。

【五班訳文】


わーっ、すっぽりはまった。完璧だ。

ついに足りなかったところにピースが入った。

よし、今度こそこの前みたいにこのピース逃さないぞ。

このピースとずっと一緒にいたい。

このピースがはまり、速く転がることができるようになった。うれしい。でも、止まることができなくて、虫さんとゆっくり話すことができない。

それにお花さんの匂いをかぐことができない。

どうしても止まれない。だからチョウチョさんは僕にとまることができない。

前は虫さんと話したり、お花さんの匂いをかいだり、チョウチョさんにとまってもらうことができたが、今は全部できない。

歌を歌うときにうまく歌えない。完全な丸になるといいことが多いと思っていたのに。

そうだ、完全な丸じゃないときのほうが自由に過ごせてた。

よし、このピースとはもう別れよう。

マル君はゆっくりピースから離れていきました。

マル君は転がりながら静かに歌いました。

〝ああ、なんで何かが欠けているのだろう。ああ、なんで何かが欠けているのだろう。さあ、僕のパーツを見つけにいこう〟


よく訳せていますねえ。「It fit! It fit perfectly!」という文章の感激を「わーっ」という間投詞で表現しているのも面白いし、「すっぽりはまる」というのはしっくりくる日本語ですね。

「Aha, so that's how it is!」というところ、「how it is!」（そういうことだったか！）の内容を「完全な丸じゃないときのほうが自由に過ごせてた」というふうに意味を補って訳したんですね。原文にないことを書いているじゃないかと疑問に思う人もいるかもしれないけれど、これは勝手な意訳とはちがいます。翻訳の用語に「補い訳」とか「厚い翻訳」とか呼ばれるものがありますが、それと同質のものですね。「it set the piece down gently.」ここを、「よし、このピースとはもう別れよう」と、せりふ（直接話法）にして心境を伝えたのも、なかなか果敢なチャレンジですね。丸いものの視点に立った翻訳になっています。

それから、もうひとつ感心したのは、ひとまとまりの文章のなかで「ダ・デアル」の常体（じょうたい）と「デス・マス」の敬体（けいたい）がうまく混じりあっていることです。

この絵本の翻訳の難所は「it」をどう訳すかだとお話ししましたね。三人称の日本語への翻訳はただでさえむずかしいのですが、彼でも彼女でもない「it」はどう訳しましょう。「それ」なんて訳したのでは、なんだかよそよそしい感じになってしまいます。しかし五班は序盤から中盤は「丸」の立場に引きつけて、一人称の語りで訳しているんですね。この件については、本章の前のほうでもお話ししました。

作中の三人称の文体を一人称のように翻訳するという技法は、日本語訳の場合、「描出話法（自由間接話法）」を訳すときなどに時として使われるものなのですが（一五〇ページのコラム参照)、全編を一人称のように翻訳しようとすると無理が生じることもあります。

そこで、五班の翻訳は、丸くんの視点に立っているときは常体を使い、だれか別の語り手が三人称として語っているときには敬体を使ってトーンを切り替え、文章の視点の移動を明らかにしています。これは、そうとうの高等技術です。

たしかに、「デス・マス」の敬体で訳した二つの文は、「丸」の動作を描写したものですから、三人称として書いたほうが自然ですよね。

これはかなり重要なポイントです。

ちなみに、常体と敬体で一人称視点と三人称視点の転換を表現するという技法は、チェコ出身の作家カフカの「橋」という作品の邦訳にも見られます。

小説家であり翻訳家でもあった長谷川四郎（はせがわしろう）が訳したものです。敬体と常体を五班とは逆の視点にあてていますが、ダ・デアル体とデス・マス体を併用することで、文章に「前景」と「後景」を生みだしていると、井上健（いのうえけん）著『文豪の翻訳力』(武田ランダムハウスジャパン)でくわしく論じられています。興味のある人は読んでみてください。

五班は、ふたりが辞書を引く係、別なふたりがその単語をあれこれ組み合わせながら文章にしてみて、最後のひとりが「アンカーマン」のようになって想像をふくらませつつ訳文としてブラッシュアップしていく、という方法をとったそうです。五人の分業と連係プレーがうまく活きたようですね。

次は二班の訳文、お願いします。


【二班訳文】

ついにわたしにぴったり合うかけらを見つけて完全になれた。

今現在、完全に全部揃った。

転がれ、どんどん転がれ。かなり速く、どんどん速く、前よりかなり速く転がっていく。

虫と話したいね。速すぎて話せない。

速すぎて花の匂いもかげない。
あまりに速いため、チョウまでもがとまってくれない。
はまってうれしいから歌を歌う。ついにうれしい歌を歌うことができた。私の欠
けているかけらを見つけた。……モゴモゴ。
何で歌えないんだろう。
そうか、かけらが邪魔なんだ。
はずすしかないな。
そしてゆっくりと転がっていった。
私は自分の欠けているかけらを探す。遠くに自分の欠けているかけらを探しに行
くぞ。私は自分の欠けているかけらを探す。遠くに自分の欠けているかけらを探
しにいくぞ。

二班には課題を出しておきましたね。「faster and faster」と二回くりかえしている

感じをどう訳出するかということです。とても良い訳になりました。このあたりです。

転がれ、どんどん転がれ。かなり速く、どんどん速く、前よりかなり速く転がっていく。虫と話したいね。速すぎて話せない。速すぎて花の匂いもかげない。あまりに速いため、チョウまでもがとまってくれない。

転がれ、どんどん転がれ。かなり速く、どんどん速く——たたみかけるようなリズムがすばらしいです。「速い」ということをいろんなバリエーションで表現しながら、転がれ、かなり、どんどん、速すぎて、と、ひとつの言葉を次で反復させながら展開していくのね。どんどんころがっていくスピード感が詩的に表されています。何回も何回も考えなおし、推敲（すいこう）した跡がわかって、とても良かったですよ。

では、六班お願いします。

【六班訳文】

今さっき見つけたパーツは私の体に合う。そのパーツは私の体に完全に合ってい
る。ついに見つけた、ついに見つけた。
このパーツと僕は遠くへ転がっていった。パーツと完全に一体化して、円になれ
たから、もっともっと速く転がれる。
でも、速すぎて、逆に今までより転がっちゃう。だから虫とも話せない。
花の香りもかげないぐらい速い。
あまりに速いから道で転がっているとき、チョウに乗ってもらえない。
チョウチョと歌えるようになった。
そして、歌を歌い始める。モゴモゴ。
〝今現在、自分は歌うことができないから、悲しいな。そしてそれで完全な円に
なってしまったので、すっかり歌えない〟
やっぱりピースがなかったほうが自由だったな。

だからゆっくりピースを外すことにした。

ピース、さよなら。

やっと自由になった。歌を歌おう。

〝欠けているピースを見つけたが、前のようにいなくなったから、うれしいなあ。

レッツ・ゴー。欠けているピースを見つけたが、前のようにいなくなってうれしいな〟


はい、「Hi-dee-ho, here I go.」を「レッツ・ゴー」と訳したんですね。親しみやすい別な英語に置き換えるというのも、ひとつの工夫だと思います。

また、「complete」って、「完全」ということだけど、ピースと「一体化する」と訳しているところなど、解釈が行き届いた翻訳だなと思いました。

それから大事なこと。

班のみんながこの「丸」の気持ちになれた瞬間じゃないかと思うんだけど、「and

slowly rolled away」って、直訳すると、「ゆっくり離れていった」というだけですね。でも六班は、「ピース、さよなら」と訳したんですね。ちょっと感動しちゃいました。「and slowly rolled away」から「ピース、さよなら」という訳文が出てきたとき、この翻訳者は想像力の壁をひとつ越えたんだと思う。「楽しそう」が「楽しい」に、「悲しそう」が「悲しい」になった時かもしれない。

六班はいつもこの「丸」がどんな気持ちでいるか話しあっていましたね。一度、誰かが「もうピースがないほうがいいやって思ったんじゃないか」と言ったら、また誰かが「そんなことないよ。だって、まだ一生懸命歌おうとしているじゃない。まだあきらめてないよ」といった会話が聞こえてきていました。そういうふうに話し合った結果が、「ピース、さよなら」という一文になって出てきた。「訳出」されたということですね。こういう訳語は「翻訳の必然」から出てきたものでないと、わざとらしくて浮いてしまうものです。**訳文は原文と深くかみあって初めてそこから離れることができます。**

すてきな翻訳でした。ありがとう。

本にはページの制限があるので、ぜんぶ掲載できなくて残念ですが、四班はまたとても感情豊かな訳文でした。歌おうとして歌えないところを「ゴニョゴニョゴニョ」と訳したのも簡潔でよかった。それから「驚きや喜びや悲しみを胸に、自分の足りないものを探しています」と訳した最後の一文、「驚きや喜びや悲しみを胸に」は、どうやって考えたのか聞いてみると、「〝Oh〟を辞書で引いたら、そういう時に使う言葉『かんとうし』だって説明が載ってたから、それをおりまぜて文にしました」とのこと。なかなか考えましたね。

三班は先に書いたように、「ミミズくんと話したいのに」と、to不定詞以下を訳していてわかりやすかった。よく考えられた訳文でした。

一班は出だしを「これ、ぴったり。すごくぴったり」と調子よく簡潔に訳してくれていました。英語の原文も短いんだから、それこそぴったりな訳文です。

二組の発表は、楽しい名訳ぞろいでした。

読者のみなさんも、あなた自身のミッシング・ピースを探せましたか?

読書の長い長い愉しみ—— *The Missing Piece* を翻訳して

はじめに翻訳というのは超精読のことだとお話ししました。

では、一冊の本を翻訳した後には、どんな感想や解釈が生まれるでしょう。

二組のみんなにも聞いてみましょう。

五班女子「最初は丸が欠けていて、その欠けた部分を探して旅をするけれど、でも最後にはまたそれと別れる。人間と同じだなと思いました」

六班女子「だんだん読んでいるうちに、なんかこう、本当は自分に足りないものは別のものなんだって気がつくっていうところが……人間と重ねているんだなって」

そうです、この絵本はここに出てくる「丸」のことだけを書いているんじゃないんですね。

わたしたちみんなに当てはまることを書いている。こういうのを普遍的なテーマと言います。

『シンデレラ』はシンデレラというかわいそうな女の子ひとりの話を書いているわけではありません。フィクションという作り話がおもしろいのは、そこに自分や自分のまわりのことが書いてあるからなんです。言い換えれば、「ここにわたしがいる」と思える物語や小説を面白いと感じるわけです。反感をもつのも、そこに影の自分がいるからかもしれません。「反感」というのも、じつは広い意味での「興味」のことだとわたしは思います。

小説にとっていちばん怖いのは、読者の反感ではなく、読者の無関心なのです。

さて、他の班はどうでしょう。

四班男子「最初はノット・ハッピーとか書いてあって、なんだか丸いのが悲しそうに見えた。それで旅をして、最初と最後では見た目は変わらないのに、なんだか気持ちは変わっていて、絵は同じなのに不思議だった」

そうですね、見た目はぜんぜん変わらない、本当にシンプルな絵です。絵も同じだし、せりふや歌も最初と最後でまったく同じなんですね。これはもちろん作者の手抜きではないんですよ。

意図的に反復させているんです。

どうしてでしょう?

旅をしてもやっぱりなんにも変わらなかったよ、ということを言うためでしょうか?

そうではないですね。最後は相変わらず丸の一部が欠けているんだけど、欠けていても最初と同じ「ノット・ハッピー」には見えない。見た目も言葉も同じでも、最初の丸と最後の丸は明らかにちがっています。いえ。ちがって見えます。読者の目をとおすことで、この丸いものは変化を遂げます。そのことを示すため、内的ななにかが決定的に変わったことを強調するために、あえてまったく同じ絵や歌やせりふがくりかえされているのです。

ですから、原文に仕掛けられたこういう意図的な反復というのは、訳文でも再現して反復させると効果的でしょう。

他の班はどうでしょうか。

二班男子「はじめの目標が達成されても、まだそれですべてが満足じゃないっていうことを人間に教えるっていうか、語りかけるような本だなあと思いました」

この *The Missing Piece* の丸いものは、わたしたちに向かってなにもしゃべらないでしょう。「みなさん、ぼくは……」と話しかけてくるわけではないけど、物語じたいが語りかけてくる。そういう本だということです。

これからみなさんは何百冊、何千冊、とびぬけて読書量が多い人は何万冊という本を読んでいくと思うけど、自分に強く語りかけてくる本と出会えるのは幸せなことだと思います。

三班男子「最初はマルくんがピースを見つけて、『もうこれは完璧だ』とか言っていたけど、じつはそうでもなくて、いま完璧だと思っていても、見方を変えればあんまりよくないところもあるんだなって」

授業の最初に、ぞうをいろんな角度から見て描きました。上から見たのと、後ろから見たのと、横から見たのとみんなちがう絵になった。そこにあるものや景色は変わっていなくても、見方が変わったら、ぜんぜんちがう姿に見えてくる。そういうことですね。二組のみんな、大事なところが本当によく読めてる。

最後に一班はどうでしょう。

一班男子「マルくんが完璧な丸になったら、欠けていた部分はなくなったけど、そしたらその完全になったことで今までの自分に戻れなくなって、それがなんか悲しいっていうか、そういう感じが読みとれた」

うーん、なるほど、深い読みです。丸いものはまた元気に新たな旅に出かけていったけど、むかしの自分を失ってしまった、いろいろなものに気づく前の、ある意味、無邪気な、イノセントな自分はもうもどってこないのですね。なにか、そういう人生の一抹の哀切を感じないでもない。しみじみと長い余韻が残りますね。よくそこまで読みとりました。

このお話を、「最初にノット・ハッピーだったけど、最後ハッピーになった」というふうに感じる人がいてもいいし、一班みたいに、もう元の自分にはもどれないんだっていう、そういう考え方もあるでしょう。教室に三十人いたら、三十通りの感じ方があっていい。

三十通りの感じ方があるということは、翻訳も三十通りできるということです。まずお話を読んだ時に、例えば五割ぐらいわかったとするでしょう。それで、今度は自分の言葉で翻訳する、書くという行為でまた二割ぐらい、理解がアップするかもしれません。それで七割ぐらいになったとするでしょう。それで、やっぱりここから先が長いんです、読書というのは。

昨日読んだお話というのは、昨日読んでおしまいではないのです。みんなこれから一生、何回も何回も読むと思う。それはこの *The Missing Piece* という本を実際に読むという意味だけではなくて、折りにふれ、頭のなかで何回も何回も、何百回も再読していくということです。そうすると、そのたびに見方や感じ方が変わるんです。あのとき悲しい話だと思ってたけど、いろいろな経験を経て十年、二十年したら、やっぱりあれはハッピーエンドだったんじゃないかなと思う人もいるかもしれないし、その反対もあるかもしれない。**あなたの人生が本に反映されるんですね。読み手のあなたが本に影響をあたえる。本を変えていく。**

えっ、本のほうが人間に影響をあたえるんじゃないの？　と思う人もいるかもしれません。それはそのとおりです。でも、本に影響を受けたあなたが、またその本を変えていくんですね。

本というのは、物としてはこういう四角い決まった形をしてるけど、みんなの頭のなかに入ったら、どんどん姿や意味を変えていきます。こうやってめくって読むのだけが本ではないんです。記憶のなかで何回も何回も読むから、どんどんおもしろくなる。本を読むのって、じつは本の内容を読み換えていくこと。もっと言えば、心のなかで書き換えていくことなんです。これも一種の翻訳かもしれないですね。
The Missing Piece の後から、たくさんいろいろな本を読むでしょう。その本たちが頭のなかで、さまざまな関わり合いをもつ。「ああ、あの本とあの本、似てるところあるな」とか、「あの本ではこう言ってたけど、こっちでは別な言い方しているよ」とか、本同士がいろんなつきあいをしながら変わっていくと思います、あなたのなかで。

3　外にころがりでよう

翻訳にとって、取材の意味ってなんだろう?

さて、六年二組はこれまで教室のなかで授業をし、翻訳にとりくんできましたが、このへんでちょっと外に出てみたいと思いますので、読者のみなさんもしばしおつきあいください。
行き先は神奈川県横浜市にある「横浜インターナショナルスクール（YIS）」です。

この学校はアメリカンスクールとはちがって、いろいろな国から来た、あるいは帰ってきた生徒が集まっています。それぞれがちがう言語で育ってきていて、生徒たちの言語的バックグラウンドは、四十数カ国語にわたるそうです。各自いちばん得意な言語もちがうだろうし、日本語力にも少しずつ差があります。そういうわけで校内の「共通語」を設け、それには英語を使っています。

この学校の同学年相当の生徒たちにも *The Missing Piece* を読んでおいてもらい（多くの生徒は小さいころに一度は読んでいましたが）、二組のみんなには、この本について、ＹＩＳの生徒たちと話しあうトピックや質問をひとつは考えてくることを課題として出しておきました。二組のみんなはそれまでクラスでこの作品をいっしょに読んで、意見を交わしあい、訳文をつくりあげてきました。今日は、自分たちとはちがう言葉や文化のバックグラウンドをもつ人たちとディスカッションをしてもらいたいと思います。

ちがう視点をもつ人たちと話しあうことで、*The Missing Piece* はまた彼らのなかでいろいろな変化をとげるんじゃないでしょうか。

ただし、作者のシルヴァスタインと同じアメリカで育った生徒に質問したからといって、答えが得られるかどうかわかりません。「一日ぐらいインターナショナルスクールで過ごしたからと言って、急にいろいろわかるようになると思わないでね」と念を押しました。

翻訳者も現地取材に行くことがあります。わたしもエミリー・ブロンテの『嵐が丘』という小説を訳すときには、作品の舞台となるイギリスのイングランド北部のヨークシャーへ、『風と共に去りぬ』という小説を訳すときには、アメリカ南部のジョージア州アトランタへ取材に行きました。それでなにか急に開眼するとか、訳文が大きく変わるかというと、そんなことはない。だけど、大事なのは現地の文化や空気に触れるのもさることながら、ふだんの日常生活を離れて考える時間をもてるということ、それから、ふだん見ない景色を見て、ふだん触れたりしないようなものに触れ、考えるきっかけがもてること、この二つがとても大事だと思います。

The Missing Piece の丸いものも、何が自分に足りないのかよくわからないけど、とりあえずころがりでてみたでしょう。ころがってみて初めてわかることというのも

ありますね。それで最後には、欠片とお別れして、最初と見た目はまったく同じになりますが、同じでないことはわかったと思います。変化ってすぐに見えるところには現れないんですね。

丸いものの変化は外からはわからない。

例えばわたしは、『嵐が丘』の翻訳のためにイギリスに取材に行ったとき、ひとつ訳し方で悩んでいる箇所がありました。wine の訳し方です。

最初、少し古めかしい感じで、「ぶどう酒」と訳してみました。歴代の『嵐が丘』の訳者には、「ブドウ酒」と訳した人も、「ワイン」とそのままカナ表記した人もいましたが、ひとり「酒」と訳した人がいたのです。岩波文庫の旧訳版で、訳者は阿部知二でした。特別なものを飲むのではないんだから、「酒もってこい」という言い方がなじむと考えたのでしょう。さて、わたしも考えました。その当時のイギリスでは、もう国内ではワイン造りはほとんどしていませんから、家にあるとすれば、輸入物か密造酒です。「酒」といったら、エールかジンではないか……。

しっくりしないまま、イギリスのヨークシャーに行きました。すぐに手がかりがつかめたわけではありません。とにかくその取材旅行一カ月の間、ずっと考えて考えて、ぐるぐるぐるぐる考えました。あれこれ考えて考えて、二転三転、四転五転……ところがって帰ってきて、なんと訳したかというと、やっぱり「ぶどう酒」と訳しました。それじゃあ、最初と変わらないじゃないか！　だったら取材旅行なんか行かなくてよかった、時間の無駄だったじゃないか、と思うかもしれません。

じつのところ、絵本の丸いものがころがったみたいに、最初と同じにもどってしまったけど、でも最初のぶどう酒と一カ月考えた後のぶどう酒は、少なくともわたしのなかでは、わたしの翻訳のなかでは、意味が変わっていたと思う。二組のみんなも、今日すぐにはなにも変わって見えないかもしれない。でも、YISで話しあって一年後、五年後、十年後、もしかしたら三十年後ぐらいに、「あっ、あの子の言っていたことってこういうことだったのか」と、急に腑に落ちる瞬間がきっと来ると思います。

ところで、出かける前に確認しましょう。この絵本の丸いものってなんなのでしょうね？ それから、ミッシング・ピースってなんのことでしょう？ 二組のみんなはどう思いますか？

タカシ「そのマルは僕的にはただの形というよりも、人間のなにかだと思う……なんていうか、心とかそういうもののさまよいみたいな感じ。心のさまよいのことだと思う」

アズマ「これは自分だと思う」

〝心のさまよい〟、〝これは自分だ〟、どちらもさまざまな考えを刺激してくれる言葉ですね。わたしもこの絵本を中学校二年生の時に読んでから、まだ答えが出ていません。だから、自分もミッシング・ピースを探すつもりで出かけます。

さまざまな視点からのグループ・ディスカッション

二組の六班が、翻訳をＹＩＳの生徒に見せました。そこで問題になったのは、これ

ってだれが話しているんだろう、ということ。［Y＝横浜インターナショナルスクール、赤＝赤堤小学校］

Y「うん、アイデアはあってると思います。けど、唯一わからないのが、（この丸が）僕か私なのか、名前がないのかってこと」

Y「これって三人称だけど、一人称で、〝I〟が語っているみたいに読める」

赤「〝it〟だから男か女かもわからないんだけど。〝it〟って書くのって変な感じする？」

Y「いや、しないよ。モノだから」

Y「わたしは一人称っていうか、ナレーターがほかにいるみたいな感じだと思う」

赤「だれか別な人が読んでくれてるみたいな？」

Y「そう」

なんだか、いきなり本質的なディスカッションになっていて驚きました。読者の読み方によって、丸いものを「わたし」として読むか、第三者が語る「それ（it）」として読むかで、当然ながら解釈も訳し方も変わってきますよね。そのことを掘りさげて話しあっていたのです。

くわしくは前述しましたので省きますが、語り手がだれなのか、どういう視点で書いているのかというのは、文章を読む際にとても重要なポイントです。

続きを聞いてみましょう。

Y「日本語で〝it〟にあたる言葉ってないんだよね」

赤「『それ』じゃないんだ？」

Y「うーん、なんかちがう。『それ』とか言えないようなものに使う。わたしはバイリンガルだけど、込み入った話になると、英語に切り替えて話す。どうしてって訊かれるけど、〝it〟にあたる語を日本語で言えないような時に、英語に切り替わるの」

赤「英語をよく知ってても〝it〟って日本語にできないんだ？」

Y「日本語にないから。『それ』って言うと、意味がせまくなる」

鴻巣「二組のみんなは、たとえば、〝It fit! It fit perfectly!〟だったら『はまったよ、ぴったりはまったよ』って主語を入れずに訳してたよね」

Y「文章の形は原文と違ってるけど意味はそのほうが伝わるから、そのほうが正しい翻訳だと思う」

Y「英語で主語を抜いて〝fit!〟だけだと意味がわからなくなっちゃう。（英語は）主語がないとわからない」

これまた鋭いポイントを深く話しあっていました。翻訳者が聞くと、もう言葉とアイデアの宝島という感じです。じつは英語から日本語への翻訳というのは、ほとんど三人称の「it」との戦いみたいなものなんです。「it」がいちばんむずかしい。YISの生徒たちは「it」の意味を「わかっていても」訳せないのではなく、「わかっているから」なかなか訳せないのでしょう。ネイティヴスピーカーだからこそ訳せないものはあるんですね。

「文章の形は違うけど意味はそのほうが伝わる」というのも、深いテーマを含んだ指摘だと思います。ちょっとむずかしい言い方になりますが、文章の形をそのまま移す翻訳の方法を「形式的な等価をめざす翻訳」、文の形を変えても意味や作用を同様・同等にしようとする翻訳を「機能的な等価をめざす翻訳」と呼んだりします。

例えば、アメリカの小説に出てきた preach to the converted（すでに改宗している者に改宗しろと説教する）という言い回しを、日本語では「釈迦に説法」と訳したりするのも、機能的な翻訳の例です。アメリカの日常シーンにいきなり仏教の「釈迦」が出てくるのはおかしいのですが、「要らぬことをする」という文脈で言葉を置き換えているのです。（ただし、だいぶ意味がずれてしまっているのですが、「おかど違いの」という含意の点で、かろうじて重なりをもっています）。

それにしても言葉の直観力によって、全編「it」を主語にしたこの本を果敢に翻訳した二組のみんなは、本当によくがんばったと思います。

メタファーってなんだろう？

赤堤小六年二組と横浜インターナショナルのみんなとの対話は続きます。

Y「うーん、この本を翻訳するのむずかしい。言葉遊びが多いよね」
Y「だって、これってぜんぶ〝metaphor〟だから」
赤「メタフォってなに？　メタボならわかるけど」
鴻巣「比喩（ひゆ）というのは聞いたことある？　喩（たと）えのこと」
Y「うん、そう、この丸はただの丸じゃないってこと」
鴻巣「二組でも、これは自分のことだと思うと言ってた人いたよね？」
赤「あっ、心のさまよい」
鴻巣「そうそう、見えない心をこの形で表現しているのかもね」

「mataphor」は暗喩、「simile」は直喩と訳します。

「わたしの耳は貝の殻。海の響きを懐かしむ」（堀口大學訳）と始まるコクトーというフランス詩人の詩があります。これは暗喩です。

「わたしの耳は貝の殻のような恰好をしている」と書けば直喩になります。

The Missing Piece は「人の心は何々のようだ」とか「人生というのはこんなものだ」という書き方は一切していない。読む人が思い思いのなにかに重ねて読むことができるのですね。だから、この丸いものにあえて名前もつけていないのかもしれません。

この「metaphor」という言葉と考え方は文学を読む際に、欠かせないものになりますので、ぜひ覚えておいてください。

それにしても、十二、三歳の子たちがいきなり物語の核心に飛びこみ、

・語り手
・視点
・人称
・主語
・翻訳可能性と不可能性
・形式と意味（直訳と意訳など、呼び方や観点はいろいろあるのですが、世界の翻訳

の何千年という歴史のなかで、翻訳観を二分するような大問題なのです）

・比喩

といった、翻訳をする際のエッセンスのようなことを前置きなしに話しあい始めるので、わたしは驚きの連続でした。言語の境界を超えた言葉の直観力を感じました。

ＹＩＳでは、グループ・ディスカッションの他、いろいろな授業を参観し、体育館ではバスケットボールをやり、琴のレッスン（日本の伝統文化を学ぶカリキュラムと専用校舎があります）では琴の弾き方や部位の呼称をＹＩＳの生徒たちに教えてもらい、カフェテリアでいっしょにランチを食べ、女の子たちは目下の悩みなどをＹＩＳの子たちと話しあい、男の子たちは初対面のＹＩＳの女子にちょっと心をくすぐられ、短いながら濃密な時間を過ごしてきたのでした。

コラム

本当にむずかしい「直接話法と間接話法と自由間接話法」

※このコラムは補足説明のページですので、興味のある人は読んでください。
自由間接話法は、英語の直接話法と間接話法の中間ぐらいにある話法で、描出話法とも呼ばれます。

Emily opened the window and said to them, "I'll be there right now!"
この文の引用符内は直接話法ですね。直接話法で訳します。
↓エミリーは窓を開け、「今すぐ行くよ！」と彼らに言った。

Emily opened the window and exclaimed to them that she would be there directly.
これは間接話法ですね。日本語にするとこんな感じになります。
↓エミリーは窓を開け、すぐさま行くと彼らに大声で告げた。

Emily opened the window and shouted to them. **She would be there in a minute!**
これは太字部分が描出話法です。日本語にするのはとてもむずかしいのですが、例えばこう訳します。
↓エミリーは窓を開けて、彼らに大きな声で言った。すぐに行くから！

英文と訳文の太字のところが描出話法にあたりますが、その文には「エミリーが言った」とは書かれていませんね。せりふが地の文にとけこんだような形になっています。

第一章で出した例文で言うなら、

「ユウタっていじわるだな」とアミさんは言い、石をけりました。

でもなく、

ユウタくんはいじわるであるとアミさんは述べ、石をけりました。

でもなく、

ユウタってマジいじわるじゃん！　あったまきた。

と、もろにアミの口調でもなく、

ユウタっていじわる！　あたまにくる。

と、アミの声と語り手がとけあったような文体のことです。

コウガくんの世田谷線の作文も、ちょっとだけ書き換えると描出話法のようになりますよ。

「世田谷線は風を車体にふれながら毎日気持ちよく休まずに走り、みんなにかいてきに乗ってもらっている。そうして終点まで走りぬけた後、現役を引退しても、子供や子供の時に乗った人たちが展示している電車に遊びにきてくれるだろう。**うれしい**」

欧米の小説にはよく出てくるかなり重要な話法なので、覚えておくといいと思います。

日本語ではふだん意識しない語法のため、訳すのはひと苦労で、過去にも多くの翻訳家たちがさまざまな試みをしています。

第四章　世界は言葉でできている

日本で話されている言語はなんですか？

前章の赤堤小学校の授業では、とてもすてきな翻訳ができあがりました。

さて、この章では、翻訳というものを成立させている言語のこと、言語と言語の関係などについてお話ししようと思います。

唐突ですが、日本で話されている言葉はなんですか？　ちなみに六年二組のみんなに問いかけたら、即座に「日本語！」という答えが返ってきました。

そうですね。日本では多くの人が日本語を話しています。でも、日本で話されている日本語って一種類でしょうか？

日本には、例えばたくさんの方言があります。その数は大きく分けた場合には、だいたい十数種類から二十数種類あるという学者もいるし、それをもっと細かく分けていったら、八十、九十、百、それ以上あるかもしれない。言語の分類というのは非常にむずかしい作業なので、学説によって数字は大きく異なってきます。ひとつだけ正確な数字というのは出せないのです。

こうした方言もひとつにまとめて「日本語」と呼んでいるんですね。東京で話されているのも関東方言の一種です。

では、日本のなかで日本語以外で話されている言語はないでしょうか？

例えば、沖縄諸島と鹿児島の奄美(あまみ)諸島のあたりで話されている言葉は、「日本語とは別の言語と考える」という説もあります。その場合は琉球語と呼んだりします。それから、いま「北海道」と呼ばれている島とそれより北の島々でもともと話されていた「アイヌ語」は、やはり日本語とは別の言語と考えられています。現在、かなり言語人口が減っている言語です。

その他には、ないでしょうか？

外国から来た人たちが話す数々の言語がありますね。英語、中国語、韓国語、スペイン語、ポルトガル語、フランス語、イタリア語、ドイツ語、オランダ語……。最近では、駅などのアナウンスや公共の場のお知らせなどは、日本語の後に英語、中国語、韓国語とつづくことが多いのですが、それでも日本では何語を話しますか？　と訊くと、即座に「日本語」と返ってくるぐらい日本語のネイティヴ・スピーカー（その言語を母語とする人）および使用者の割合は多いのですね。日本語のネイティヴ・スピーカーにしてみれば、国内で他言語が話されていることをほとんど意識せずに済むほど、日本語が浸透しているということです。

ちょっと世界地図を見てください。

例えば日本からだいぶ遠いところ、アフリカ大陸の、西のほうを見てください。ここにナイジェリアという国があります。この国では、方言も入れてだいたい幾つぐらいの言葉が「ナイジェリアの言葉」として話されていると思いますか？　二組のみんなはこう答えていました。

「十五ぐらい」

「二十九」

「三十五」

「四十」

「百二十」

「えーっ、そんなにないだろ！」

はい、いまの言語研究で確認されているナイジェリアの言葉というのは、だいたい五百十から五百二十ぐらいあるそうです。

面積は日本の二・四倍あまりですが（日本は３７７、９３０㎢、ナイジェリアは９２３、７７３㎢）、人口は一億六千万人弱（二〇一二年調べ）ですから、日本の約一億三千万人の一・二五倍もありません。

なのに、どうしてこんなに言語の数が多いかというと、まず、民族の数が非常に多いですね。政治的な理由で国境線を引いているだけですから、さまざまな血統と文化と言語をもった多様な民族がひとつの国に暮らすことになりました。

いま日本と呼ばれている土地にも、もとはいろいろな民族がいたはずですが、古墳

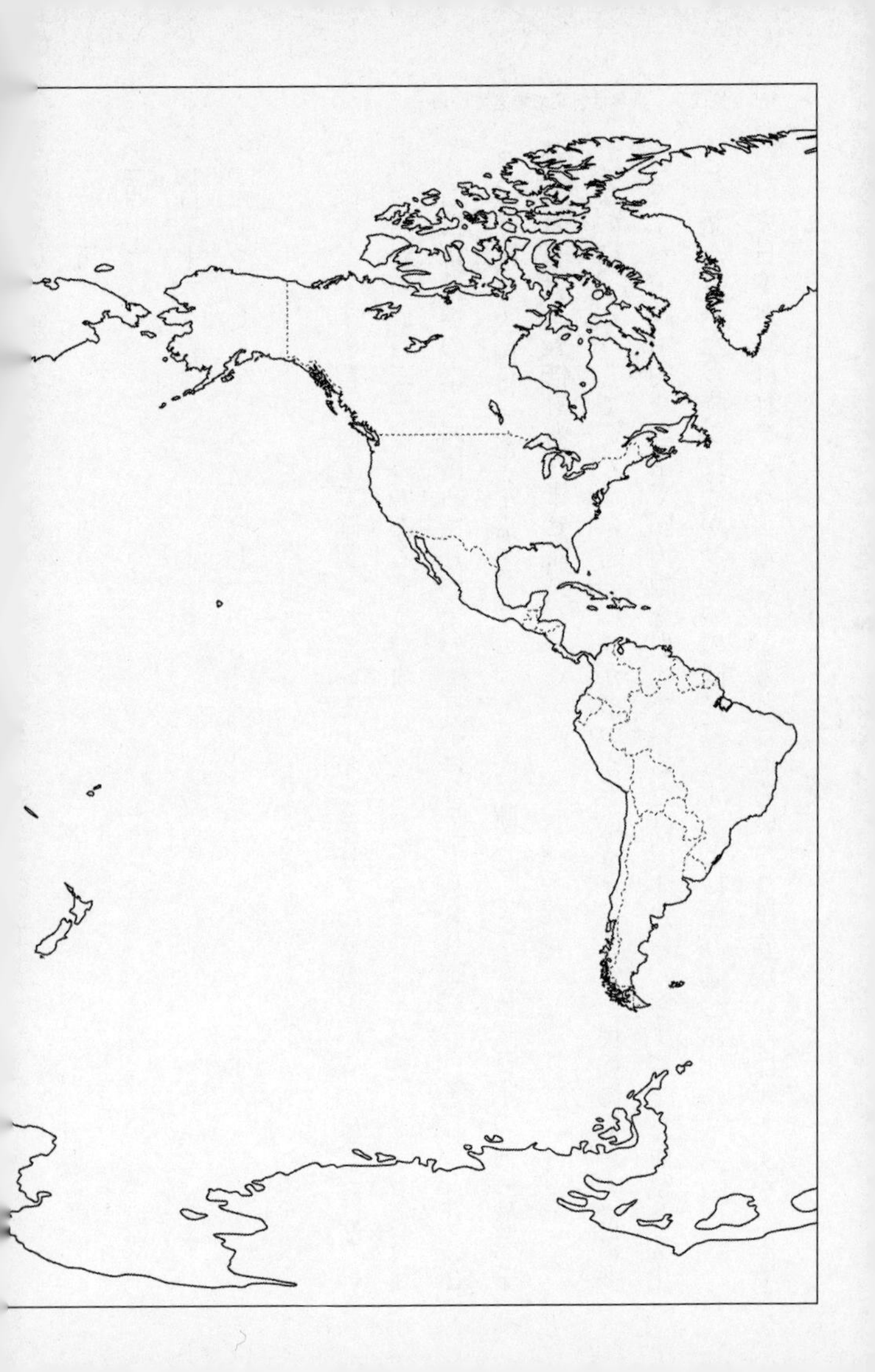

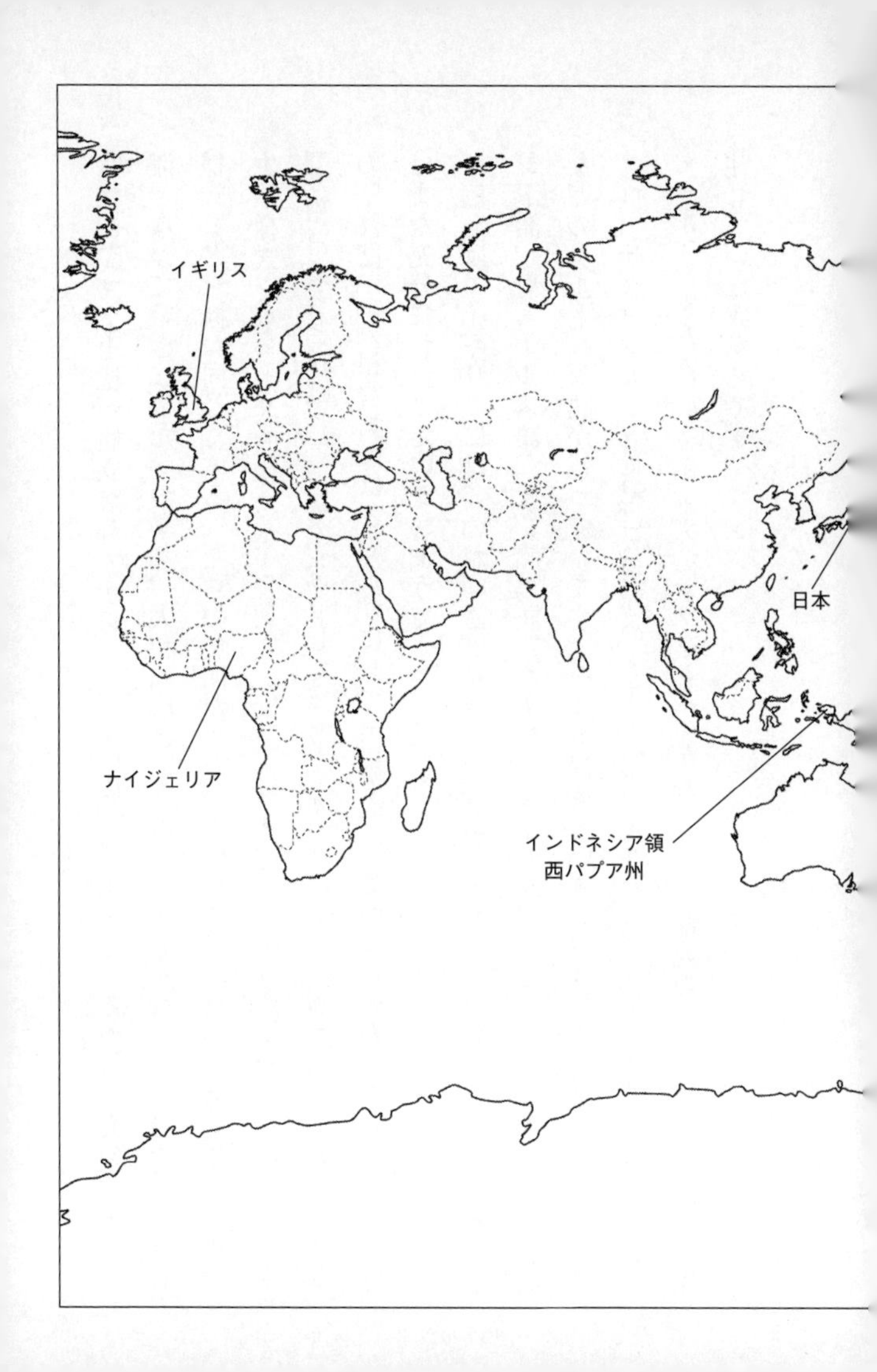
イギリス
日本
ナイジェリア
インドネシア領
西パプア州

時代にヤマト王権が樹立されてから、「大和民族」に統合されていき、大和言葉が主流となっていきました。つまり、大和民族というのははじめから、文化、言語、生活様式などを概ね同じくする人たちの集団だったのではなく、それぞれの文化、言語、生活様式をもった共同体の集まりだったのではないでしょうか。そのなかで、いま「大和言葉」と呼ばれる言葉がどうして権勢をふるうことになったのか、もっとさかのぼれば、「大和言葉」はどのようにして出来上がっていったのか、そういった部分はまだ充分にわかっていないようです。

例えば、イギリスには、いわゆるブリティッシュ・イングリッシュの他、アイルランド語、ウェールズ語、マン諸島語、コーンウォール語、スコットランド・ゲール語などのケルト系言語が残っています。ケルト民族というのは、いまのイギリスにアングロ・サクソン人（五世紀ごろ現在のドイツ北岸、南部からグレートブリテン島に侵入してきたアングル人、ジュート人、サクソン人のゲルマン系三部族の総称）よりも前から先住していた人たちです。

公用語にならない言語がある

ともあれ、五百あまりも言葉があったら、方言ていどの差異ではなくお互いまったく理解できないことも多いでしょう。こういう場合、どうしますか。なにか共通の言語、これを「リンガ・フランカ」と呼んだりしますが、そういう言語が必要になってきます。現在のナイジェリアでは、英語を公用語*とし、他に、言語人口の比較的多いハウサ語、イボ語、ヨルバ語が公共の場で用いる言語に指定されています。ナイジェリアのどこの民族の言葉でもない英語が公用語になっているのは、かつてイギリスの植民地として支配されていたからです。そのため、議会や官庁では英語が主な言語として使われています。そして児童は、母語以外にハウサ語、イボ語、ヨルバ語のいずれか一つを学ぶように奨励されているそうです。

自分の母語がこの四言語以外の人は、母語のほかに少なくとも二言語は覚えることになります。

＊ある国や地域、あるいは国際的な集まりにおいて、公の場での使用が決められた言語。ひとつとは限らない。

例えば道路標識や駅などのアナウンス、役所や選挙での手続き、テレビのニュースなどが、自分の母語と異なる言語で統一されている状況を想像してみてください。理解できないために危険が生じるという不便もあるでしょう。しかしそれだけでなく、母語を使えないことじたいに苦痛や、もっと言うと悲しさや悔しさを感じる人もいるかもしれません。

例えば、スロバキアではスロバキア語が公用語ですが、ハンガリーの公用語（国語）であるハンガリー語を話す人もたくさん住んでいます。でも、ハンガリー語はここでは公用語の地位がなく、しかるべき場で、ハンガリー語よりスロバキア語が優先的に使用されないと（二言語併記の際の順番や字の大小に至るまで）、罰金を課されるという言語法改定がなされたこともあります。スロバキアとハンガリーには、その背後に、とても複雑な歴史と関係があるのです。

ハンガリー語はハンガリーでは公用語（国語）となっていますが、しかし世界には言語人口は多くても公的な立場をもたない言語というのは、かなりの数あります。パキスタン、インドなどで一億人以上が話しているパンジャブ語、アフガニスタン、パキスタンなどで約六千万人が話しているパシュトー語、中国の新疆（しんきょう）ウイグル自治区や周囲の国々で一千万人以上が話しているウイグル語など。

「人は言葉を杖にして生きる」と言った在日韓国人二世の作家がいました。『由熙（ユヒ）』という小説で芥川賞を受賞した李良枝（イ・ヤンジ）という女性です。人が使う言語というのは、その人のアイデンティティを形作るものでもあるはずです。

世界には、自分の母語でない言語で生活している人も大勢いるし、非母語で小説や詩を書いている人たちもたくさんいます。例えば、政治的あるいは経済的な理由からやむなく他の国へ亡命した人たち。あるいはさっきお話ししたように、他国、他民族の支配のために、他言語の使用を余儀なくされた人たち（日本もかつてアジアの国々を統治して、日本語を公用語としたことがあります）。

また、そうした事情とはまったく別な理由から、非母語を選んで創作する人たちもいます。例えば、ドイツに暮らしながらドイツ語と日本語の両方で創作し、二〇一八年には全米図書受翻訳部門賞を受けた多和田葉子（たわだようこ）や、アメリカから日本に移住し日本語で創作しているリービ英雄（ひでお）といった作家たち。なぜ彼らが母語をはなれて書くのか、関心をもった人はふたりの著書を読んでみてください。エッセイだったら、多和田葉子は『エクソフォニー　母語の外へ出る旅』(岩波書店)、『言葉と歩く日記』(岩波新書)、リービ英雄は『我的日本語』(筑摩選書)の他、『日本語を書く部屋』(岩波書店)などがおすすめです。

日本にもじつは「これを使ってください」と国が奨励している言葉があります。「標準語」と言われるものです。みんながコミュニケーションしやすいように、人工的に作られ統一された言語で、東京弁とイコールではないし、どこの地方の言葉でもありません。日本人の多くが「日本語」と言うときには、この標準語をなんとなく想定しているのでしょう。

日本語の「標準語」も、方言の使用者(それは日本語話者のほぼ全員ですが)に大なり小なり無理をしいてきたのだと思います。ただし、公用語というものも宗主国の言語も、日本はもった経験がありません。それは、この国が少なくとも有史以降、他国、他民族の全面的な言語支配を受けたことがないからでもあります。戦争に敗けたことはあります。しかし占領国に「今日から英語を使うように」とは強要されませんでした。

それにくわえて前の章でも書きましたが、いわゆる「文化的上位」にある言語を宗教や法律、政治、学問、芸術の場で統一された共通語として読み書きし、同時に話していた時代もありません。

古代「倭人」の上層階級は中国語の読み書きだけでなく、話すこともできたらしいですが、朝廷の行事や公式の祭事などをすべて中国語でとりおこなうという習慣はなかったのではないでしょうか。

また、法令などの公式言語として、第二次世界大戦終結まで使われていた日本の「漢文」は、中国語そのものではなく、和文化したものです。

外国の他言語に全面的な支配、抑圧、迫害などを受けることなく、独立した立場をたもち、国内のどこへ行っても「日本語」を話すことで不自由がない。自分のお母さんお父さんが話していた言葉をごく自然に、とくに意識することなく、一生使い続けられるというのは、幸運なことなのだと思います。

日本語は現在、世界のなかでそんなに強い立場にないけれど（いまはなにしろ英語が強すぎるのです）、かなり独特な文法構造や語彙（ごい）、または地理的に他国から孤立していた状況などのおかげで、他の言語から適度な距離をおいて、気になる言語はじっくり観察し、良いところを取り入れることもできた。ある意味、ずいぶん恵まれた言語ではないかと思います。

でも、言葉じたいに上下なんかない

公用語というものがあっても、やはりその言語圏や地方や民族にはそれぞれの文化もあるし生活や習慣もあります。ちがう歴史をもっています。その言葉でなければ言い表せないということもありますね。日本語で考えてみると、擬音語・擬態語なども繊細です。「ぽちぽち」とか「ひょっこり」とか「しゃあしゃあ」などこの音でなくては微妙なニュアンスが伝わらないだろうと思わせるユニークさがある。

使っている本人にも説明できない言葉の陰影（いんえい）というのはどの言語にもあります。

さて、ナイジェリアにも住んでいる民族でフルベ族という人たちがいます。お隣のカメルーンにも住んでいますが、フルベ族にはこんな言葉があるんだそうです。カタ

カナで表記するのが難しいのですが、
　イェーウトゥゴ
です。これは、言語学者の江口一久（えぐちかずひさ）という先生が西アフリカに長年暮らして、親しんだ言葉なのですが、どういう意味でしょうか？「イェーイ」みたいな、音からすると楽しい意味のような気がしますが、動詞の働きをするようです。
「夜の闇のなかで寂しくしている人をその寂しさから解放するために声をかける」
という意味なんです。一語でこれだけの意味があるんですよ。独特の言葉です。西アフリカの奥地のほうに行くと、終夜間営業のコンビニなんてないし、電灯がほとんどない地域もあるので、夜がとても暗い。夜の闇が深いのですね。闇というものには、本質的に「死」の暗示があるでしょう。闇に接して人は死を想う。その闇をはらうために、人々は言葉を使います。だれかと話したり、昔話を語ったり、歌ったり、人と言葉でコミュニケーションをするんですね。
　この「イェーウトゥゴ」というのは、その土地独特の環境や風習があって初めて出てくる語だけど、聞いてみると、だれもがうなずける意味をもっているでしょう。言葉には、こうして特異性と普遍性というものが同居しているものです。

世界にある五千〜七千ぐらいの言語のなかには、英語という十数億もの人が話している言語もあるし、一万人ぐらいの言語もあるし、もっと少ない、百人とか三十人とかいう言語もあります。

たとえば、ニューギニア島を知っていますか。地図で見てみましょう（一五六ページ）。オセアニアにあります。東はパプアニューギニア、西はインドネシアに分かれています。インドネシア領の西パプア州を見てください。島の西のほうにあるバードヘッド半島という、鳥の頭のような半島です。そのちょっと東に、ショーテン諸島というのがあります。ショーテン諸島の少し北西側、赤道のわずか上ぐらいに、小さなマピア諸島というのがあります。この島はふつうの地図にはなかなか載っていないと思います。

地図に載せられないぐらい小さな珊瑚礁（さんごしょう）の島です。珊瑚礁が隆起して出来たこの諸島には、四つの島があり、そのなかでいちばん大きい島でも、長いほうの全長が四・

二kmぐらい。三十分もあれば歩いて一周できるぐらいの小ささです。

この小さな小さな珊瑚の島のマピア諸島に、二〇〇五年に調べたときには、たった一人だけ、マピア語という言語を話す人の記録がありました。だから言語人口一人です。しかしその言語を話す人が一人しかいなかったらどうなるでしょう？　二組のみんなにも聞いてみましょう。

「話ができない」

「さみしい」

「だから、しゃべりかたを変える」

「どんなふうに変える？」

「たとえば、英語にするとか」

そうですね、言語人口が減るということは、しばしば経済的に政治的にだんだん弱い立場になっていることを示します。すると、まず移住が起きるでしょう。そして話者がたくさんいる言語に移っていく。マピア島でもそういうことが起きたのだと思います。昔、マピア語はもっと多くの人が話していましたが、だんだんとその地方の公用語や共通語へ吸収されていき、代々継承されなくなって、言語人口が減っていった。

二年後の二〇〇七年の英語の言語文献(encyclopedia of the world's endangered languages — Christopher Moseley)を見ると、そこには、

Mapia: ...extinct

と書かれていました。「消滅」したという意味です。最後の一人の話者がおそらく亡くなったのでしょう(追記:さらに二年後の二〇〇九年のEthnologueというサイトのデータでは話者が一人となり、「ほぼ消滅した言語」という記載になっている)。

あるひとつの言語が消滅するってどういうことだと思いますか? また二組のみんなに聞いてみましょう。

「文化が……そのマピア語で発達していた文化とかも消えちゃう」

そう、言葉は文化に根ざしたものだし、文化は言葉によって支えられています。だ

から、言語が消えると、そこの文化全体にもきっと影響がありますね。マピア島の暮らしは英語でだって営めるでしょう。でもゆくゆくはどんな影響があると思いますか？

「お祭りとか儀式とか、マピア語でやっていたそういうものはやらなくなると思う」

そういうこともあると思います。それから、人と人との繋（つな）がり方も変わっていくんじゃないでしょうか。マピア語でたくさん話しあったこと、家族や友だちとの思い出、そういうものが語り継がれなくなるかもしれない。*The Missing Piece* を読んだとき、「それを記憶のなかで何百回も読み返します」と言いました。でも、その物語をその言葉で理解できる人が自分以外にいなくなったら、物語について語りあうことも語り継ぐこともできなくなります。

それが文字をもたない言語の場合は、書き残すことも困難になります。

現在、「小さな言語」が大変なスピードで消えていっていると言われています。もちろん言葉というのは自然に発生し、使われなくなって消える、ということを大昔からくりかえしています。しかし二十世紀の終わりから二十一世紀にかけて消滅するスピードが加速され、二週間に一つぐらい消えているという学者もいます。

どうして消滅する速度が急に速まったのか。それは交通機関や通信ツールやシステム、とくにインターネットの急激な普及で世界が「小さく」なっているからですね。昔は世界のあちこちに住む人たちは、自分の生まれた土地に暮らして、そんなに動きませんでした。動く手段がなかった。それぞれの国、それぞれの地方の暮らしをしていたけれど、いまは世界の各地からすぐに集まることができる。メールやSNSによる通信ならそれこそ一瞬です。人々が集まるといっしょになにかしますね。世界中の人たちが同じようなことを同時にやり始めます。これを「グローバリズム」と呼んだりします。そして世界中から人が集まれば、どんな言葉を使いましょうか、という問題になる。

その時その時で「強い」国の言葉が使われることになるでしょう。これまでも、英語の時代の前には、スペイン語が強かった時代もあるし、オランダ語が力をもっていた時代もあるし、あるいはヨーロッパでフランス語を話すのは知識人のたしなみだったという時代もあります。その時にさまざまな理由から優位にいるとみなされる言語です。いまは英語が強い。そうすると、ますます英語を使う人たちが増えて、すると、だんだん小さな言葉の出番がなくなっていく。

　でも言語どうしの序列や優勢劣勢というのは、おもに政治的、経済的な理由で決まるもので（現代では成熟した文化をもっていても経済的に奮わなければ、言語の「覇権」というものを取ることができない社会機構があります）、ひとつ忘れないでほしいのは、言語そのものには上下も優劣もないということです。十五億人が話す言語だから尊くて大切でえらくて、百五十人しか話す人がいない言語だから「別になくてもいいんじゃない？」とは、だれにも言えないとわたしは思います。あるいは、たくさんの話者がいるのに、公用語として認められていないから、重要度が低いなんていうこともない。**言語はそれぞれがかけがえのないもので、そのかけがえのなさは比較できるものではない**と思うからです。

だったら、どうして英語をやるの？

現在、日本の公立小学校では、五年生から英語科目が必修となり（二〇一二年当時。二〇二一年現在は三年生から「外国語活動」が必修化、五年生から教科扱い）、その後、中学の三年間と合わせて義務教育として英語を勉強することになります。日本に暮らすこの学齢期の児童と生徒は学校に通うかぎり、全員が英語を学習する。

いま、言語そのものには上下も優劣もないと話しました。みんな自分の国の言葉にも文化にも誇りを持っているし、自分の国の言葉、自分の民族の言葉で話したいと思うかもしれません。

「そっちが日本語を話せばいいじゃないか」、「なんでこっちが英語を覚えなくちゃいけないんだ」と、不公平に思う人もいると思う。英語翻訳者のわたしだってときどきそう思っています。

でも、そう言って日本語のなかだけに閉じこもってしまうのも、もったいないと思います。例えば、日本にはいま、こんな本やマンガやアニメやゲームがあるよ、というのを外国の人たちにも教えたいと思いませんか？　その逆で、外国にこんな面白い本があるんだよ、聞いて聞いて、とお節介をやくのが翻訳家という人々です。

ともあれ、日本の小説でもマンガでも寿司でも、それを作っている人たちが、「これは俺たちの文化だ」、「知りたいなら日本語を一から勉強しろ」と、他言語によるコミュニケーションを拒んでいたら、どれもこんなふうに世界で認知され、評価されていなかったのではないかと思います。日本のいろいろな文化が世界で知られているのも、それを作った人たちが、やはり積極的に他の国や異なる言語をもつ人とコミュニケーションしてきたからだと思うんです。この十年の間に日本文学の立ち位置はずいぶん変わりました。いま世界でいちばん読まれている作家の一人は、日本の村上春樹です。また、二〇一八年と二〇二〇年の全米図書賞翻訳文学部門を受賞したのは、多和田葉子と柳美里であり、インスタグラムを開けば、女優のナタリー・ポートマンが川上未映子の小説の英訳版を手にした写真と好評を投稿している。こうした日本作家の活躍も、すぐれた日本語の文学を国外の読者にも届けようと努めてきた人たちの尽力の結晶なのです。

これは本当に覚えておいてほしいのですが、**自国の言語とか文化を大事にするとい**

うことと、外国語を身につけるということはまったく矛盾しないということです。

現在最も多くの人が理解できる英語を使うことは、言葉のいちばん大きい公共広場に出入りすることです。その広場の人々や文化にふれながら、同時に自分の母語である日本語や日本語の広場を大切にすることはもちろんできます。また、英語の広場で友だちになった人たちが、そのうち日本語の広場のほうに遊びにきてくれるかもしれません。そういうことがいま、日本の文学の世界にも大いに起きているわけです。実際、日本の小説や詩を翻訳したいという外国の翻訳者は増えており、日本文学の紹介に真しに取り組んでくれています。

もちろん、外国語というのは英語にかぎりません。英語ができれば便利ですが、他にも言語は何千とあるのですから、なにか母語以外に一つは他言語に親しむのは良いことだと思います。

わたしの語学学習の基本コンセプトのひとつは「もっとおもしろくしたい！」です。生きていくため、生き延びるために他言語を必要とする環境には、現在、幸か不幸かいません。日本で生まれ日本語で暮らしてきた語学学習者の大半が、同様ではないかと思います。だから切迫感がなくて身につかないんだと、よく批判されますが、先に述べたように、ほとんどの人が母国語だけで生活できるという国は、いろいろな意味で恵まれてもいるのです。

ともかくわたしは英語を学んでくる際に、それをなにか実務に役立てたいという気持ちはあまりありませんでした。いわんや社会で出世したいからとか、世界に打って出ようとか（笑）、ひいては国の地位を向上させようとか、そういうりっぱなことは考えてこなかった。

なぜ英語をやるのか。

日本語だけ使っているときよりたくさんの本が読めるようになるから。もっとたくさんのものを見られるようになるから。知らなかったことを知ることができるから。要は、そのほうがおもしろいからです。これは翻訳の仕事をする際にも変わりません。自分がおもしろくて楽しい思いをしたいから翻訳している。そういう部分が大いにあります。

けど、楽しく暮らしたいならわざわざ外国語学習なんて大変な思いをするのは、おかしいんじゃないか?

そうでしょうか。「楽」なのと「楽しい」のは似て非なるものです。

言葉というのは、窓みたいなもので、他言語を身につけるというのは、日本語の窓の他にもう一つ窓ができるようなものです。第二章で、ぞうをこっちから見るのと、あっちから見るのとではちがったように、たとえば、みなさんが今いる部屋や教室も、ある窓から見える景色と、別な窓から見える景色とは、ぜんぜんちがうでしょう。

他言語を身につけるというのは、新しい視点をもつことでもあります。

母語だけだと見えなかったものが見えてくるかもしれない。さっき、日本ではこれまで、生き延びるために外国語を学ぶ必要にあまり迫られなかったと書きましたが、災害などの混乱時にも外国語の知識が役立つこともあります。

例えば、二〇一一年の東日本大震災によって起きた原発事故と原発の今後に関する問題。ときには、必要な情報は自分からとりにいかないとなりませんでした。わたし自身、外国の報道や調査を見てようやく客観的な状況や真相がつかめたこともあります。自分の国にいて自国の言葉で真実を知ることができないというのは、本来あってはいけないことです。

そういう意味でも、他言語を身につけ、日本語以外の窓も確保しておくことは、重要でしょう。

また、これは最近、アメリカの「ニューヨーク・タイムズ」という有力紙のオピニオンページに発表された学説（Garry Matter 著）なのですが、バイリンガルのほうが、いろいろな面で頭がよく働くという調査結果が出たそうです。日本でバイリンガルというと知的で「かっこいい！」と思われますが、アメリカでは最近まで、バイリンガリズムはむしろ子どもの知的・言語能力の発達をさまたげると考えられていたのです。アメリカは移民の多い国で、複数の言語ができるというのは、日本でのように知的教養の一環とはかぎらない。生活が困難だったり危険だったり不自由だったりする国や地方から、より豊かな、より安全な、より良い環境や労働条件を求めて移住し、必要に迫られて英語やスペイン語を身につける人たちも多く、多重言語者の地位はかならずしも高いとはいえませんでした。日本での感覚とはほとんど正反対ですね。

ところが、記事によれば、バイリンガルのほうがさまざまなタスクでの処理能力が高く、思考が柔軟で、さらに高齢になってからも、アルツハイマーや認知症になりにくいというテスト結果が出た。

じつは、英語だけで楽に暮らせてしまうイングリッシュ・スピーカーより、なにかと得なことがあるかもしれませんね。

第五章　何を訳すか、それは翻訳者が引き受ける

翻訳を終えて

いよいよ最終章になりました。ＹＩＳを訪問した後、六年二組のみんなには最後の宿題を出しました。

・「自分にとってのミッシング・ピースとは何か？」という作文を書く。
・この絵本に日本語のタイトルをつける。

このふたつです。

最初に書きましたが、翻訳というのは、自分の中からころがりでて、いっとき他者の言葉を生きることです。でも、もちろんそれを生きるのはあなた自身で、最後に訳文を書く時には、もういちど自分にもどってこなくてはなりません。

二組のみんなは班の仲間と意見を交わしながら、他者の書いたものを読みこみ、言

語的・文化的バックグラウンドのちがうＹＩＳの生徒たちとディスカッションをし、読みを深め、いつもより遠くまで言葉の旅をしたと思います。最後にもういちど自分に還って、こんどは自分ひとりで自分だけの言葉で作文を書いてもらいました。

この本の最初で、人間は気がつかないうちに、想定の壁に囲まれた想像力の箱のなかで暮らしてしまっているということをお話ししました。

この壁をひとつ乗り越えたら、また壁が出てくるんですね。そしてひとつ乗り越えたらまた新しい壁が出てくる。けれど、少しずつ想像力のスペースを広くすることだけはできる。

翻訳という作業のなかで、見ず知らずの作者シルヴァスタインが、日本語ではない異言語で書いた、男か女かもわからないような生き物の物語に接して、他人の状況や気持ちに思いめぐらすために、うんと想像力を使い、できれば想像力の壁をひとつ越えていってもらいたいという意図もありました。

では、作文のいくつかを紹介しましょう。もうわたしの余計な解説は省きます。

【モエ】

私は、あの丸は人間の心のかたまりのような物で、それが丸い形になったのだと思います。理由は本を読んだ時に「人間みたいなことをくり返している」と思ったからです。そして、あの欠けていた部分というのは、人間（自分）の欠けているものという意味だと思います。だから、あの丸は欠けているかけらを見つけようとしたのだと思いました。

題名は『ハート君の人生』です。

【レオ】

この本を読んで、完璧だと思えることが、別の見方、別の角度で見ると、全然違くて、あまりよくないこともあることがわかりました。だから、完璧なピースなんてないんだと思いました。

この題名は『終わりのない旅』です。

【ユキ】

これは、マル。きれいな丸。形がちゃんとしてない丸。もしかしたら、シールかもしれない。ぷにゅぷにゅかもしれない。スーパーボールかもしれない。このマルは何でもないと思う。

題名は『マル』です。


【コウガ】

僕が思った〃missing piece〃は、自分にはない、まだ知らないことをさがすということではないかと思いました。

本の題名は『神様の落とし物』です。


【フミカ】

私は授業を受けて、この本に書かれている〃the missing piece〃とはかなえたいと思いながら、いつも夢見ていて、でも、もしかなうと、とたんにつまらなくなってしまうようなものだと思いました。夢は夢のままで、現実にはならないで、あこがれのままのほうが良いこともあると思います。

この本の題名は『私の探し物』です。

【サクラ】

私はこの本を読んでいっぱい勉強になりました。自分の人生には何があるかわからないと思いました。なんでも完璧にできるわけじゃないし、逆に完璧になっても、自分にとって悪いことがあるかもしれない。そう考えると、丸君は自分の欠けているパーツを見つけた。でもいいことはなかった。だから、今、自分自身を信じていけばいいと思います。

題名は『自分の人生』です。

いろんな読み方が出てきました。そして、それぞれの読み方が翻訳された、いろんなタイトルが出てきましたね。丸いもの、すなわち自分がどう考え、どう感じたのか、想像力のスペースは、広がったでしょうか。そうあることを願います。

能動的に読むとはどういうことか

第一章、第二章で、想定の壁を打ち破って想像力のスペースを広げよう、そのために翻訳という作業をしてみよう、と言いました。そして第三章で、翻訳をするときにいちばん大事なことは、「能動的に読む」ことだ、と言いました。*The Missing Piece* を訳すことで、具体的にそうした「読み」をみんなで体験してみたわけです。そこで、ここで改めて、この「能動的に読む」とはどういうことか、自分の読書人生をつらつら振り返りながらあらためて考えてみました。

じつはわたしは、いわゆる「ジェットコースター小説(ノベル)」などと帯で謳(うた)われるようなものは苦手なんです。こういうものには大人気の本が多いので申し訳ないのですが、どこを読んでいいのかよくわからない。そう言うと、最初からどんどん読めばいいのよ、と言われるんですが、どうもうまくいかない。ジェットコースターですから、気軽に乗って、乗ったら何もしなくても、ビューッとどこかに連れて行ってもらえる。ということは、自分で、ああだろうこうだろうと思ったり立ち止まったりするきっかけがない。寄り道する隙がない。うっかり寄り道をしてしまうと、もどってきたらもう、どこから読んだらいいか、とっかかりをなくしている。そうしてだいたい振り落とされてしまうという感じなんです。

ゆっくりひとつひとつの文章を確かめながら進んでいくものであれば、もどってきたら、ああここで立ち止まった形跡がある、といった感触からもとにもどることもできるけれど、ずっと乗っていないとおいて行かれそうなものは怖い（笑）。実際に文字は逃げていかないのですが。

ロッククライミングだと、ハーケンを打ち込みながら登っていくでしょう。まあそんなにハードなことをしなくてもいいんだけれど、でもとにかくそういうのは、次にどこにハーケンを打つのか、自分で決められる。どういう道筋で登っていくか、自分で決められる。そういう本が好きなんです。乗ればビューッと連れて行ってくれるそのスピード感が好きだという感覚は、わからなくはないんですが。

例えば、このあいだ、テレビの書評番組「週刊ブックレビュー」（一九九一年～二〇一二年放送）の司会をしていた中江有里（なかえゆり）さんが、あえて苦手なものを読む、という話を書いていました。その感じはよくわかる。本を見たとき、これ、わたしに合ってそうだなとピンと来る本はあります。それとは別に、なんだか気にかかる本がある。その異質性が訴えてくる本というのがあって、そういうのはわりと読んでみます。同質性、親和性だけだと、枠が広がっていかないでしょう。ある程度、異質性や他者性を感じる本を手に取ってみるのは、いいかもしれません。なにかちょっと神経を逆なでするような本、というのは、きっと興味のある本なんですよ。反感も関心のうち、と言いましたが、なにかチクッとささるようなものを手に取ってみたらどうでしょう。

第一章でも、評価している作品には好意ばかりもっているわけではないと書きましたが、わたしにとっては、南アフリカ出身のノーベル文学賞作家J・M・クッツェーの小説などは、まさにそんな感じです。なんというか最初から、これはわたしに合いそうだとは思わなかったし、実際に読んだときも嫌な主人公だな、と思いました。『嵐が丘』もそうです。大いなる違和感から入っています。それでも、結局、どちらの作家の本も翻訳しました。

違和感があるのは興味がある証拠。なにか大きな違和感を残すものは、あなたにとって意外と大事なものかもしれません。小説で登場人物に感情移入する必要は必ずしもないのです。反感だったら反感を持ち続けてもいい。たとえば、マーガレット・ミッチェルの『風と共に去りぬ』のヒロイン、スカーレット・オハラは物語の出だしでは、高慢でわがままで、人の恋人を横取りするし、いけ好かないと思います。でも、戦争や貧困を経てたくましく成長する彼女にいつかは好感を抱くかもしれない。あるいは、『嵐が丘』で、語り手のお手伝いさんに感情移入する人はほとんどいないと思います。じつを言うと、全編しゃべっているのは彼女なんだけれど、ほとんどの人があの卓抜なキャラクターを覚えていないでしょう。

作品全体を評価すること、語り手に共感をもつこと、あるいは登場人物に好感をもつことは、それぞれ別なんですよね。主人公が大好きだから、最後に死んでしまう展開には大いに不満である、ということもある。

自分が大好きなタイプの主人公、自分が大好きな起承転結、そういうふうにいつも順目、順目で読むんじゃなくて、たまに逆目で読んでみる、逆目読書みたいなのをやってみるといいかもしれませんね。わたしにとっては、それがクッツェーやエミリー・ブロンテやマーガレット・ミッチェルなんです。

目に逆らいつつ読めるということは、関心が続いているということです。なにかを乗り越えながら読むということかな。そうすると、深く関わり合う部分というのが否応なく出てきます。すると『嵐が丘』も、最初に読んだときの違和感などが、そのうちぜんぶ反転しておもしろいと思えるようになりました。初めに読んだときには、「このお手伝いさんは妙に怪しいな」と、違和感というか、うっすら嫌悪感を抱いたのを覚えていますが、深く読んでいくうちに、やはりこの家政婦ネリーが物語を動かしているんだ、いちばんの重要人物なんだとわかったからです。もし最初に読んだ子ども用のリライト版で止まっていたら、キャサリンとヒースクリフという熱烈に愛し合った二人がいたなあ、というぐらいで終わっていたでしょう。

わたしにとって一種の聖典であるウェブスターの『あしながおじさん』も、やっぱり主人公のジュディ・アボットは最初から好きではありませんでした。偏屈な女の子だし、「またこんなこと言ってる」と、軽い反感を持っていたような気がします。でも内容に引きこまれた。いまでもジュディ・アボットが好きかと言われたら、好きとは言えないような気がします。とはいえ、わたしの文学の旅は『あしながおじさん』に始まったのだし、この本との出会いがなかったら翻訳家になっていなかったかもしれません。

そう考えてみると、翻訳や文学との関わりのなかで、わたしにとって大きな位置にある本というのは、最初は決してスムーズな出会いをしていない。最初から好意的な関係にあったわけではないことがわかります。

再読したときには、ハーケンを違うところに打つかもしれない。違うルートをたどると、見えてくるものが全く違う。そういうおもしろみかもしれません。

オリジナルに読むことと勝手に読むことは違う

日本の翻訳文化は、ニュートラルに読む＝受け身で読むととらえて、それが美徳であるように考えられてきたところがあります。あられもない読み方をしない、みだりに想像力を広げない。もちろんそれは大事なことですが、原文を的確に読むことと能動性というのは矛盾しません。そのことは、わたしも最近、わかってきたことなんです。

受け身で読む——ネガティブ・ケイパビリティという言葉があります。イギリスのキーツという詩人が当時の知識論（認識論）者たちを批判して、そういうことを言ったんですね。不可解さや不確実さに身をゆだねて（わからないものはわからないまま）自分を空にし、ある意味、自分が導管みたいになる。こちらから組みかかっていくのではない。〝消極的受容能力〟などと日本語では訳されています。日本の翻訳界では、こういう「消極的（ネガティヴ）」の意味がはき違えられてきたのではないかという気がします。

「無色透明な翻訳」という言い方があって、日本人はそれを好む。訳者の作った文章ではなく、原文が、オリジナルが透けて見えるようなものを読みたいということです。じつは、欧米の人たちも「透明な翻訳」という言い方をするのですが、じつはまったく意味が逆で、それが翻訳であることを感じさせないくらいこなれた、初めからその言語で書いてあるように自然に読ませる訳文を指すんです。このことは国外の翻訳論を読んだり、国外の翻訳者と話すようになって気づきました。一見、同じことを意味しているように聞こえるけれど、正反対なんです。

この、同じ言葉が正反対のものを意味するところに、翻訳観のちがいが如実(にょじつ)に表れていると思います。

近代以降の英語には、「同化翻訳」、すなわち自分たちの文化に引きつけた翻訳が多かったんです。それに対して日本語の翻訳は、明治の中期ぐらいから、忠実性というか、異文化や異質性を重んじるスタンスでやってきています。とにかく相手に合わせて工夫を重ねる。

最初に例に出した「月がきれいですね」という〝翻訳〟はかなり極端な例なんです。

翻訳の幅の広さを示すための例です。あれを良しとしない、という土壌は日本に昔からあって、良質な翻訳の例としては、一般的には受け止められていないでしょう。

中立とか無色透明といっても、訳文のなかに入り込んでくる自分の持っている文化や思考の癖――言語学者の田中克彦は、それを「思考のナマリ」として論じています(『クレオール語と日本語』岩波書店)――それはどうしても消せない。思考が訛っていないと、ほんとうに文化的にものは考えられない、ということです。

ただ日本語は、最初に中国語から文字が入ってきたとき、白文(もとの漢文)に返り点を打って、読み下し文にして読みました。日本の翻訳学の草分けである柳父章によると、そのやり方のまま、オランダ語も読んだ。原文があるとまず、単語を全部訳してみる。〝This is a pen.〟だったら、「これは、です、ひとつの、ペン」と訳してみて、おもむろに順番を入れ替える。日本語の語順にする。そのやり方をオランダ語で採用し、英語で採用し、いまに至っていると。

だから、非常に精緻にできたパズルのような英文和訳法をメソッドとして持っている。そのためにどんな高度な文章も、いちおう日本語にはできてしまう。日本では高校生も大学生も、単語とその語義をたくさん暗記するでしょう。英文和訳の置き換えパターンも、受験などの勉強のなかでがっちり頭にたたき込まれていませんか。単語知識と置き換え力という二つのスキルがあれば、とりあえず英文和訳ができあがります。

笑い話ですが、先の柳父章さんが早稲田大学で授業をやっていて、ある難解な原文を訳させたところ、優秀な学生が巧みに訳しとおした。「よくできました、ところで、これどういう意味か、きみ、わかる？」と聞いたら、全くわかりません、と答えた（笑）。こんな話は、山ほどあると思います。わたしも、自分の学生時代を振り返ってみて、自分の訳した文章を理解していたかというと、悲惨なものだったと思いますから。

翻訳では、律儀（りちぎ）に単語を置き換えても、忠実な訳にはなりません。

例えば、辞書に載っていない語義を使うことに、すごく抵抗感をもつ人が多いのではありませんか。それを〝意訳〟とくくりたがったりする。つい先日も、翻訳の市民講座をやったら、辞書に書いていない言葉で訳している、と他の参加者の訳文にたいそうご立腹された方がいたんです。みんなで絵本を訳したのですが、今回の赤堤小学校とある意味同じで、いろんな訳し方をする人がいる。わたしは翻訳の講座をするときに、「その訳は間違っている」とはぜったいに言いません。もう根比べみたいなものですが、「違う」という言葉だけは使わない。そうですか、どうしてそういうふうに考えたんでしょう、と話しあう。

とにかく正解がない以上は、誤答というものもないんです。

でも、どうしても自分の翻訳観と合わなくて、怒る方もいる。だって原文に書いてないじゃないか、辞書に載ってないじゃないか、と。では、I thank you. を「ありがとう」と訳すのは意訳だろうか（笑）。そんなふうにつきつめていくと、直訳と意訳の境がいかにあやふやなものか、わかってきます。

では、どこまで原文に書いてあるのか、どこからが書いてないのか？　そこが非常に難しいところなんですね。それを引き受けるのが、ある意味、翻訳者の能動性の一部なんです。どこまでが原文に書いてあることか、その判断を、引き受ける。その境を、というか、その境のあいまいさを引き受けるのも、能動的に読むことの一部だと思います。

それは、自分勝手に読むということとはちがいます。この作者はこういうことを書いているんだ、と自分で解釈する。そこで的確な解釈をするためには、語学的なスキルを地道に積み重ねていかなければいけない。ここも強く言っておきたいところです。今回は小学生といっしょの「はじめの一歩」の授業でしたから、そんなに辞書を引かなくてもいいよ、と言いましたが、翻訳を本当にしようと思うなら、紙の辞書ならつぶすぐらい引く必要がある。とにかく翻訳には語学力が九割です。前の章で言った「翻訳は読みが九割」というのは、もちろん語学力を含んでのことで、語学力がなければ、その人の読解力も日本語力も――どれだけ高いものがあっても――発揮しようがありません、よくちまたで、「翻訳は英語力より日本語力がものを言う」というのは、ずば抜けた語学力を前提とした物言いです。作品背景に対する知識も含めての語学力は礎（いしずえ）です。その上でどう自分なりに読むかなんです。

日本では、翻訳が的確で正確であることとオリジナリティがなかなか融合しないようで、オリジナリティがあるとそれは雑味、ノイズが混じっている、だからあまり受け入れたくないと考える人が多い。でも、日本人が昔から名訳として愛してきた、ボードレールやアポリネールの翻訳なども、非常に精緻にできているところもあれば、大胆に原文と離れているところもあります。でもそここそが、訳者がどうしても伝えたかったところだろうし、だから、訳者が引き受けたわけです、能動的に。それが評価されてきた。

翻訳というのは、原理的に「何も足さない、何も引かない」というのはあり得ないし、幻想です。でも、そこで必然からくる自然さのそなわった訳文を翻訳者は目指すのです。

どこまでも、どこまでも、翻訳

異言語や異文化を訳すわけですから、どうしてもずれは生じます。コウモリの話と同じです。でも同じ意識の体験ができないと共感がもてないかというとそんなことはなくて、そこに歩み寄ろうとするプロセスがあって、なるべく重なりが広くなるように工夫をする。ずれを全く否定していたら、翻訳文化は成り立ちません。他言語とのコミュニケーションはできない、ということになってしまうし、異類とはわかりあえないということになってしまいます。

わたしは、だから、そのずれにNOとは言いたくないんです。ずれているところこそが文化だし、文化の肝だったりするんですよね、興味深いことに。

〝災い転じて福となす〟ようなずれもたまにあります。例えば、よく知られた小説の『ノルウェイの森』。村上春樹(むらかみはるき)の作品ですが、この題名はもともとザ・ビートルズというイギリスのロックグループの曲名からとられています。原題は、Norwegian Woodで、これはノルウェー製の安木材という意味です。だいぶずれてしまいましたね。とはいえこの曲名が「安木材の部屋で」のように訳されていたら、どうだったでしょう?　創作の領域には正誤だけでは測れないものがあるところがやっかいでもあります。

うまく転んだずれというのは、往々にしてなにか真実を含んでいます。たとえば、笑いの衝撃とか、惨めさのエッセンスとか、いたたまれぬ実感とか、そういう、文章の内容そのものとは違うなにかの「真実」があって、それを連れてくることが多い。

そういった「真実」は、「読み」の力でとらえられるものなんです。能動的に読むこと、やはりそれが翻訳の本質です。そして、そうやって読んでいくことで、想像力のスペースは広がり、想像力のスペースが広がることで、またさらによく読めるようになる。それは、楽ではないけれど、楽しいことだと思うのです。

さて、最後に。

わたしも自分の「missing piece」ってなんだろうと考えてみました。前に書いたように、この絵本は中二のときに読んでからずっと考えているのですが、相変わらずよくわからない部分もあります。だけど、今回こうして翻訳の授業をし、こうして本を書いてみて思うのは、わたしは翻訳をしていないときも、つねになにかを翻訳をしているんだということです。

わたしの人生はやっぱり翻訳でできているんだなと、改めて感じています。

だから、わたしにとっての「missing piece」は、まだ見つかっていない次の言葉、それがつねにわたしの「missing piece」だと思います。話すときも、書くときも、翻訳するときも、一歩一歩、一語一語、「missing piece」を探しながら生きていると、つくづく感じました。

わたしがこの絵本につけたタイトルは、

『どこまでも、どこまでも』

です。

わたしもこの「丸」といっしょで、いつでも次の「missing piece」を求めてずっところがっていくんだと思います。

六年二組で授業をした三日間と、この本を書くのに費やした時間、その思い出といっしょに、これからずっと生きていくことになります。わたしのなかで *The Missing Piece* という絵本もはてしなく変転し、そしてわたしも変わりつづけるでしょう。

翻訳についてこんなに考える機会を与えていただき、感謝します。

あとがき

翻訳教室におつきあいいただき、ありがとうございました。

本書は中高生以上の若い読者を意識した言葉づかいになっていますが、もちろん大人の読者も、そして小学生も、翻訳に興味のあるかたならどなたでも（それだけでなく、これまで興味がなかったかたにも）読んでもらえるような普遍的な内容を心がけました。

わたしがこの本の下敷きとなる授業を世田谷区立赤堤小学校でしたとき、翻訳のレッスンのなかで伝えたかった「隠しテーマ」がいくつかありました。それを本書では前面に出し、各章の柱としました。

ひとつは、想像力の壁を越える、越えようとする意識をもつこと。

これについては該当する章で充分にお話ししましたので、くわしくは省きますが、翻訳家や評論家たちは最終的に、本や登場人物への私的な共感、反感、感情移入の有無を超えたところで、作品を批評すべきだと思うと書きました。しかしこうした個人的な感情を充分体験し、咀嚼し、乗り越えた後にこそ、理解は深まり、より広く澄んだ視界が得られるとも感じています。それもひとつ壁を越えた瞬間ではないでしょうか。読書によって感情は耕され、理解力、受容力の容量が大きくなると思います。

同じジャンルの本を読みこんでその領域をきわめるのも読書道のひとつですが、ときにはちがう所を耕して畝を起こしてみるのも良いと思います。

ふたつめにお話ししたかったのは、一番目とつながりますが、「読む」ことの大切さです。日本の英語教育では、長年の「読み書き偏重学習」への反省から、最近は「話せる英語」を目指すようになっていますし、国語教育でも「表現する」ことに重きが置かれているのではないでしょうか。作文コンクールはあっても、読む力を問う読解力コンクールと銘打つものは、わたしの知るかぎりありません。読書感想文でも奨励されるのは、まず「自分が思ったこと、感じたこと、感動した点、共感した点」などについて書くことです。読んでどう思ったか。どこにどう感動したかを表現する。

とはいえ、感想文ではなく、本の客観的なサマリー（概要）を書くという訓練には、消極的のように見えます。これによって客観的に読む姿勢が培われるのも事実です。サマリーを書くには、文章をロジカル（理論的）に読み、文章の進んでいく方向を見極め、構成を理解し、語調の変化などにも留意し、全体を眼下において取り組まなくてはなりません。「自由にのびのびと」といった精神論では書けないものだと思います。ロジック（理論）もスキル（技術）も必要です。いま挙げたことはすべて、想像力のスペースを広げていくのに必要なことであり、翻訳する際に欠かせないものでもあります。

最近、「実用英語技能検定（英検）」の受検者アンケートで、必要とされる英語力はなんだと思うか？　という問いに、「話す力53％、聴く力21％、書く力17％、読む力9％」という結果が出たそうです。「読む」ことの重要性への意識が低いことに驚かされました。読まずに書く能力だけ上げることはできない。読めなければ書けないし、さらにはあるレベル以上になると、読んで理解する力を深めずして、会話力だけ発達させることも難しいと思います。

わたしは基本的には「人は自分が必要とする言葉を必要なぶんだけ使う権利がある」と思っています。いま日本の語学教育は、揺れつづけているようですが、問題はじつのところ、「読み書き重視→聴く話す重視」というカリキュラムの変更でも、「インプット吸収型→アウトプット表現型」というスタイルの転換によっても解決しないように思います。必要なのは、「受動的→能動的」といった発想の転換。能動的に読む、書く、聴く、話すことではないでしょうか。

最後にもうひとつ伝えたかったことがあります。それは、それぞれの言語のかけがえのなさです。わたしは英語翻訳者であり、英語で書かれた文学作品を愛していますが、英語万能論者ではありません。日本の外国語学習界で相変わらず英語の陽気な独り勝ち状態がつづくなか、世界に何千とある言語の個々の重みというのは、ぜひお話ししておきたいと思いました。数々の小さな言語の存在なくしては、どんな大きな言語も今日のような道をたどり得なかった——英語も日本語もマピア語も、ほかの数多くの言語にささえられ、大きな言葉の織り地の一部として存在してきたのだと思います。

翻訳はそうした広大な言語の織り目をひとつ、またひとつと越えていく、地道だけれどダイナミックな営みです。他者の言葉を生き、そして再び自分に還ってくる冒険を本書の読者のみなさんにも、楽しんでもらえたことを祈ります。そして*The Missing Piece*を読むなかで、果敢に言葉の冒険に飛びだし大きな実りをたずさえて還ってきてくれた赤堤小学校六年二組のみんなに、深い敬意と感謝をささげたいと思います。

＊生徒さんのお名前は仮名にしてあります。

文庫版あとがき

本書に出てくるわたしの母校、世田谷区立赤堤小学校を訪問して、数日間にわたる翻訳のワークショップを行い、それを基に『翻訳教室　はじめの一歩』を書いてから、丸九年が経とうとしています。この翻訳ワークショップは、Eテレの「ようこそ先輩」という番組企画によるものでした。

通称「赤小」におうかがいしたのは、年始明けてまもない冬の最も寒いころで、インフルエンザが流行りだしており、数日間の授業の前半で罹患して欠席した児童が何人かいたことを思い出します。冬の一月というと、首都圏では中学受験のシーズンを控えた時期でもあり、生徒の体調にはずいぶん気をつかいました。

また、昼休み直前の四時間目の最中に、比較的大きな地震があったことも思いだします。東日本大震災の記憶がまだ鮮明なころでしたが、最初、「地震です。机の下に入り、身を守りましょう」といった校内放送が流れたとき、先生役のわたしも生徒たちものんきに笑っていました。なぜかというと、その日「避難訓練」があると予告されていたのです。しかし本物の揺れがやってきて、みんな青ざめ、生徒たちがいっせいに目の前からいなくなった（机の下にもぐった）光景は、いまも脳裏に焼きついています。「だいじょうぶ、だいじょうぶ」と声をかけながら、「まさかこんなことが」と自分がいちばん動揺していたことも思いだします。

あれから九年の間に、日本は「まさかこんなことが」という災難に幾度も見舞われました。大地震、豪雨や大雪、そして二〇二〇年の春から未曾有のパンデミックを経験しています。新型コロナウイルスによるCOVID-19の感染拡大――。これは有史以来初の「世界同時多発疫禍」と言えるでしょう。歴史のなかでは、ペストやコレラなど世界中を襲った伝染病はたくさんありますが、蔓延には時間差があり、ここまで瞬時に同期したパンデミックはありませんでした。飛行機などの高速交通機関が発達し、世界から人びとがつどい、ともに活動する現代の、まさにグローバル病の一種と言えます。

本書にも繰り返し書いた「想像力の壁を越えようとする努力」は、こういう時にこそ必要ではないでしょうか。『コロナの時代の僕ら』（飯田亮介訳、二〇二〇年　早川書房）という思索の書を、新型コロナ感染症拡大の第一波が襲うなかで書きあげたイタリアの作家パオロ・ジョルダーノは、こう言っています。

ＣＯＶ－２（新型コロナウイルス）は人類が知る限りもっとも単純な生命体だ。その行動を理解するためには、僕らもウイルスの低い知能レベルまでいったん降りて、ウイルスが見ているように人類を見てみないといけない。

人間は「自然に対して自分たちの時間を押しつけること」に慣れてしまっており、自然（ウイルスもその一部です）のもつ時間に合わせることには不慣れで、だから、「こんなに時間がかかるはずではなかった」と焦ったり、判断を誤ったり、挙句に人を傷つける言動をとったりするのではないでしょうか。

それは、わたしが六年二組のみんなとの翻訳ワークショップを通じていちばん伝えたかったことの一つでもあります。授業中、わたしは東日本大震災の後によく使われた「想定」「想定外」という言葉を使いながら、黒板に「想像力の箱」を描きました。いまのコロナ禍でも、想像力の壁を広げようとすること、他者に思いを致すことは、わたしたちが生きていくうえで、最も重要なことではないでしょうか。

この九年間のうちに、日本の英語教育も少しずつ変わってきました。当時、公立小学校では五年生からの英語が「必修」となっていましたが、まだ「教科」にはなっていませんでした。教科というのは、学習習慣やテストでの評価を通して「成績」がつく科目を指します。二〇二〇年の今年四月から、公立小学校では、五年生から英語が教科化されています。

『The Missing Piece』を読んで訳していくときに、たとえば、進行形の相を表すingや過去時制を表すedは、その役割だけを大まかに話し、「あまり細かい決まり（文法）は気にしなくていいよ」と言いましたが、もういまではあんな大胆な教え方はできないかもしれません。

とはいえ、小学生の英語科目がオーラル教育だけでなく、読み書きの基礎も教えていくのは良いことだと思っています。

いま、「読む、聴く、書く、話す」という四技能を育成する英語教育改革が進められています。そのなかでも、政府の人たちがいちばん力を傾注したがっているのが、「話す」技能です。

しかし、新書版あとがきでもふれましたが、「話す」技能だけを発達させることはできません。「話す」という総合的能力を発揮するには、ほかの「読む・書く・聴く」の三技能の基盤が必要なこと、さらに、外国語の習得を推進するには母語の発達と、母語による知の涵養（かんよう）が欠かせないということを意識すべきだと思います。

語学学習の核心にあるのは、やはり「読む」行為だと私は考えています。よく読めることは、よく聴くことを助け、よく読めてよく聴けることは、よく書く力を培う。その総合的能力として「話す」があるのではないでしょうか。

本書もそうですが、わたしは他の翻訳に関する自著でも、大学の翻訳講座でも、訳文を「書く」ことより、原文を「読む」ことに圧倒的な重点を置いています。翻訳とは超精読の一種であり、言葉の当事者になるという意味では、「体を張った読書」でもあります。

最後に、二〇二〇年というたいへんな一年を通して、Zoom（インターネットテレビ）を通したリモート形式で行われた翻訳講座の最終日に、学生たちに贈った言葉をここに記したいと思います。

この講座は「きれいな訳文」「こなれた訳文」を書くことを目的とした講座ではありません。コースの最初に言ったとおり、「的確に読む」ことが第一目標です。良く読めれば、良く訳せる、この一言に尽きます。よく「過剰な主語や代名詞を省けば、日本語として読みやすくなる」などと言われますが、そうではありません。逆です。「的確な読解ができれば、不要な主語や代名詞は自然と落ちていく」「その結果、読みやすい訳文になる」ということです。また、本講座は〝てにをは〟を少し変えただけで、訳文が読みやすくなる!」といったコツの伝授をするものではなく、「的確に読めていれば、〝てにをは〟を間違えることはない」のです。逆にいえば、「訳文の〝てにをは〟がブレている」のは、解釈にあいまいな部分、あるいは誤読が潜んでいる徴候です。この順番を決して間違えないでください。訳文の〝自然さ〟というのは結果として出てくるもので、〝自然さ〟〝読みやすさ〟を目指して進まないでください。まずは、自然な訳より的確な訳を目指してください。

若い翻訳者のみなさんへ、翻訳演習講師・鴻巣友季子より

九年前に上梓した『翻訳教室　はじめの一歩』の文庫化を決め、本書にアップデートの機会を与えてくださった筑摩書房編集部のみなさん、親本の担当者であり筑摩書房現社長の喜入冬子さん、文庫化の担当で本書をふたたび世に送り出してくれた砂金有美さんに、厚くお礼を申し上げたいと思います。本当にありがとうございました。

英語を学びだした小学校高学年から、中学生、高校生、大学生、そして翻訳に興味

をおもちの大人のみなさんが、翻訳という窓を通して見ることで、見慣れた世界に新たな発見があるなら、とてもうれしく思います。

二〇二〇年一二月二九日

鴻巣友季子

本書は、二〇一二年にちくまプリマー新書として刊行されたものに、加筆・修正を加えたものです。

新版 思考の整理学 外山滋比古

「東大・京大で1番読まれた本」で知られる〈知のバイブル〉の増補改訂版。２００９年の東京大学での講義を新収録し読みやすい活字になりました。

質問力 齋藤孝

コミュニケーション上達の秘訣は質問力にあり！これさえ磨けば、初対面の人からも深い話が引き出せる。話題の本の、待望の文庫化。（斎藤兆史）

整体入門 野口晴哉

日本の東洋医学を代表する著者による初心者向け野口整体のポイント。体の偏りを正す基本の「活元運動」から目的別の運動まで。（伊藤桂一）

命売ります 三島由紀夫

自殺に失敗し、「命売ります。お好きな目的にお使い下さい」という突飛な広告を出した男のもとに、現われたのは？（種村季弘）

こちらあみ子 今村夏子

あみ子の純粋な行動が周囲の人々を否応なく変えていく。第26回太宰治賞、第24回三島由紀夫賞受賞作。書き下ろし「チズさん」収録。（町田康／穂村弘）

ベルリンは晴れているか 深緑野分

終戦直後のベルリンで恩人の不審死を知ったアウグステは彼の甥に訃報を届けに陽気な泥棒と旅立つ。歴史ミステリの傑作が遂に文庫化！（酒寄進一）

向田邦子ベスト・エッセイ 向田邦子 向田和子編

いまも人々に読み継がれている向田邦子。その随筆の中から、家族、食、生き物、こだわりの品、旅、仕事、私……、といったテーマで選ぶ。（角田光代）

倚りかからず 茨木のり子

もはや／いかなる権威にも倚りかかりたくはない……話題の単行本に3篇の詩を加え、高瀬省三氏の絵を添えて贈る決定版詩集。（山根基世）

るきさん 高野文子

のんびりしていてマイペース、だけどどっかヘンテコな、るきさんの日常生活って？　独特な色使いが光るオールカラー。ポケットに一冊どうぞ。

劇画 ヒットラー 水木しげる

ドイツ民衆を熱狂させた独裁者アドルフ・ヒットラーとはどんな人間だったのか。ヒットラー誕生から死まで、骨太な筆致で描く伝記漫画。

ねにもつタイプ　岸本佐知子
何となく気になることにこだわる、ねにもつ。思索、奇想、妄想はばたく脳内ワールドをリズミカルな名短文でつづる。第23回講談社エッセイ賞受賞。

TOKYO STYLE　都築響一
小さい部屋が、わが宇宙。ごちゃごちゃと、しかし快適に暮らす、僕らの本当のトウキョウ・スタイルはこんなものだ！　話題の写真集文庫化！

自分の仕事をつくる　西村佳哲
仕事をすることは会社に勤めること、ではない。仕事を「自分の仕事」にできた人たちに学ぶ、働き方のデザインの仕方とは。（稲本喜則）

世界がわかる宗教社会学入門　橋爪大三郎
宗教なんてうさんくさい⁉　でも宗教は文化や価値観の骨格であり、それゆえ紛争のタネにもなる。世界宗教のエッセンスがわかる充実の入門書。

ハーメルンの笛吹き男　阿部謹也
「笛吹き男」伝説の裏に隠された謎はなにか？　十三世紀ヨーロッパの小さな村で起きた事件を手がかりに中世における「差別」を解明。（石牟礼道子）

増補　日本語が亡びるとき　水村美苗
明治以来豊かな近代文学を生み出してきた日本語が、いま、大きな岐路に立っている。我々にとって言語とは何なのか。第8回小林秀雄賞受賞作に大幅増補。

子は親を救うために「心の病」になる　高橋和巳
子は親が好きだからこそ「心の病」になり、親を救おうとしている。精神科医である著者が説く、親子という「生きづらさ」の原点とその解決法。

クマにあったらどうするか　姉崎等　片山龍峯
「クマは師匠」と語り遺した狩人が、アイヌ民族の知恵と自身の経験から導き出した超実践クマ対処法。クマと人間の共存する形が見えてくる。（遠藤ケイ）

脳はなぜ「心」を作ったのか　前野隆司
「意識」とは何か。どこまでが「私」なのか。死んだら「心」はどうなるのか。――「意識」と「心」の謎に挑んだ話題の本の文庫化。（夢枕獏）

しかもフタが無い　ヨシタケシンスケ
「絵本の種」となるアイデアスケッチがそのまま本に。くすっと笑えて、なぜかほっとするイラスト集です。ヨシタケさんの「頭の中」に読者をご招待！

シェイクスピア全集（全33巻） シェイクスピア 松岡和子訳

シェイクスピア劇、個人全訳の偉業！ 第75回毎日出版文化賞（企画部門）、第69回菊池寛賞、第58回日本翻訳文化賞、2021年度朝日賞受賞。

すべての季節のシェイクスピア 松岡和子

シェイクスピア全作品翻訳のためのレッスン。28年にわたる翻訳の前に年間100本以上観てきたシェイクスピア劇と主要作品について綴ったエッセイ。

「もの」で読む入門シェイクスピア 松岡和子

シェイクスピア劇に登場する「もの」から、全37作品の意図が克明に見えてくる。「世界で最も親しまれている古典」のやさしい楽しみ方。（安野光雅）

ギリシア悲劇（全4巻）

荒々しい神の正義、神意と人間性の調和、人間の激情と心理。三大悲劇詩人（アイスキュロス、ソポクレス、エウリピデス）の全作品を収録する。

バートン版 千夜一夜物語（全11巻） 大場正史訳 古沢岩美・絵

めくるめく愛と官能に彩られたアラビアの華麗な物語——奇想天外の面白さ、世界最大の奇書の名訳による決定版。鬼才・古沢岩美の甘美な挿絵付。

高慢と偏見（上・下） ジェイン・オースティン 中野康司訳

互いの高慢さから偏見を抱いて反発しあう知的な二人がやがて真実の愛にめざめてゆく……絶妙な展開で深い感動をよぶ英国恋愛小説の名作の新訳。

エマ（上・下） ジェイン・オースティン 中野康司訳

美人で陽気な良家の子女エマは縁結びに乗り出すが、見当違いから十七歳のハリエットの恋を引き裂くことに……。オースティンの傑作を新訳で。

分別と多感 ジェイン・オースティン 中野康司訳

冷静な姉エリナーと、情熱的な妹マリアン。好対照をなす姉妹の結婚への道を描くオースティンの永遠の傑作。読みやすくなった新訳で初の文庫化。

説得 ジェイン・オースティン 中野康司訳

まわりの反対で婚約者と別れたアン。しかし八年後思いがけない再会が。繊細な恋心をしみじみと描くオースティン最晩年の傑作。読みやすい新訳。

ノーサンガー・アビー ジェイン・オースティン 中野康司訳

17歳の少女キャサリンは、ノーサンガー・アビーに招待されて有頂天。でも勘違いからハプニングが……。オースティンの初期作品、新訳&初の文庫化！

マンスフィールド・パーク　ジェイン・オースティン 中野康司訳
伯母にいじめられながら育った内気なファニーはいつしかいとこのエドマンドに恋心を抱くが――。恋愛小説の達人オースティンの円熟期の作品。

ボードレール全詩集Ⅰ　シャルル・ボードレール 阿部良雄訳
詩人として、批評家として、思想家として、近年重要度を増しているボードレールのテクストを世界的な学者の個人訳で集成する初の文庫版全詩集。

文読む月日(上・中・下)　トルストイ 北御門二郎訳
一日一章、一年三六六章。古今東西の聖賢の名言・箴言を日々の心の糧となるよう、晩年のトルストイが心血を注いで集めた一大アンソロジー。

暗黒事件　バルザック 柏木隆雄訳
フランス帝政下、貴族の名家を襲う陰謀の闇――凛然と挑む美姫を軸に、獅子奮迅する従僕、冷酷無残の密偵、皇帝ナポレオンも絡む歴史小説の白眉。

ダブリンの人びと　ジェイムズ・ジョイス 米本義孝訳
20世紀初頭、ダブリンに住む市民の平凡な日常をリアリズムに徹した手法で描いた短篇小説集。リズミカルで斬新な新訳。各章の関連地図と詳しい解説付。

眺めのいい部屋　E・M・フォースター 西崎憲/中島朋子訳
フィレンツェを訪れたイギリスの令嬢ルーシーは、純粋な青年ジョージに心惹かれる。恋に悩み成長する若い女性の姿と真実の愛を描く名作ロマンス。

キャッツ　T・S・エリオット 池田雅之訳
劇団四季の超ロングラン・ミュージカルの原作新訳版。あまのじゃく猫におちゃめ猫、猫の犯罪王に鉄道猫。15の物語とカラーさしえ14枚入り。

ランボー全詩集　アルチュール・ランボー 宇佐美斉訳
束の間の生涯を閃光のようにかけぬけた天才詩人ランボー――稀有な精神が紡いだ清冽なテクストを、世界的ランボー学者の美しい新訳でおくる。

怪奇小説日和　西崎憲編訳
怪奇小説の神髄は短篇にある。ジェイコブズ「失われた船」、エイクマン「列車」など古典的怪談から異色短篇まで18篇を収めたアンソロジー。

世界幻想文学大全
幻想小説神髄　東雅夫編
ノヴァーリス、リラダン、マッケン、ボルヘス……時代を超えたベスト・オブ・ベスト。松村みね子、堀口大學、窪田般彌等の名訳も読みどころ。

猫語の教科書　ポール・ギャリコ　灰島かり訳

ある日、編集者の許に不思議な原稿が届けられた。それはなんと、猫が書いた猫のための「人間のしつけ方」の教科書だった……⁉　（大島弓子）

猫語のノート　ポール・ギャリコ　西川治写真　灰島かり訳

猫たちのつぶやきを集めた小さなノート。その時の猫たちの思いが写真とともに1冊になった。『猫語の教科書』姉妹篇。　（大島弓子・角田光代）

アーサー王の死　中世文学集Ⅰ　T・マロリー　厨川（くりやがわ）文夫／圭子編訳

イギリスの伝説の英雄・アーサー王とその円卓の騎士団の活躍ものがたり。厖大な原典を最もうまく編集したキャクストン版で贈る。　（厨川文夫）

炎の戦士クーフリン／黄金の騎士フィン・マックール　ローズマリー・サトクリフ　灰島かり／金原瑞人／久慈美貴訳

神々と妖精が生きていた時代の物語。かつてエリンと言われた古アイルランドを舞台に、ケルト神話に名高いふたりの英雄譚を1冊に。　（井辻朱美）

ギリシア神話　串田孫一

ゼウスやエロス、プシュケやアプロディテなど、人間くさい神々をめぐる複雑なドラマを、わかりやすく綴った若い人たちへの入門書。

ケルト妖精物語　W・B・イエイツ編　井村君江編訳

群れなす妖精もいれば一人暮らしの妖精もいる。不思議な世界の住人達がいきいきと甦る。イエイツが贈るアイルランドの妖精譚の数々。

ケルトの薄明　W・B・イエイツ　井村君江訳

無限なものへの憧れ。ケルトの哀しみ。イエイツ自身が実際に見たり聞いたりした、妖しくも美しい話ばかり40篇。（訳し下ろし）

ケルトの神話　井村君江

古代ヨーロッパの先住民族ケルト人が伝え残した幻想的な神話の数々。目に見えない世界を信じ、妖精たちと交流するふしぎな民族の源をたどる。

ムーミン谷へようこそ　ムーミン・コミックス　セレクション1　トーベ・ヤンソン＋ラルス・ヤンソン　冨原眞弓編訳

ムーミン・コミックスのベストセレクション。1巻はムーミン谷で暮らす仲間たちの愉快なエピソードを4話収録。オリジナルムーミンの魅力が存分に。

ムーミン一家の　ムーミン・コミックス　セレクション2　トーベ・ヤンソン＋ラルス・ヤンソン　冨原眞弓編訳

ムーミン・コミックスのベストセレクション。2巻は日常を離れ冒険に出たムーミンたちのエピソードを4話収録。コミックスにしかいないキャラも。

ムーミンを読む　冨原眞弓

ムーミンの第一人者が一巻ごとに丁寧に語る、ムーミン物語の魅力！　徐々に明らかになるムーミン一家の過去や仲間たち。ファン必読の入門書。

クマのプーさん　エチケット・ブック　A・A・ミルン　高橋早苗訳

『クマのプーさん』の名場面とともに、プーが教えるマナーとは？　思わず吹き出してしまいそうな可愛らしい教えたっぷりの本。（浅生ハルミン）

魂のこよみ　ルドルフ・シュタイナー　高橋巖訳

悠久をへめぐる季節の流れに自己の内的生活を結びつけ、魂の活力の在処を示し自己認識を促す詩句の花束。瞑想へ誘う春夏秋冬、週ごと全52詩篇。

新編　ぼくは12歳　岡真史

12歳で自ら命を断った少年は、死の直前まで詩を書き綴っていた。――新たに読者と両親との感動の往復書簡を収録した決定版。（高史明）

心の底をのぞいたら　なだいなだ

つかまえどころのない自分の心。知りたくてたまらない他人の心。謎に満ちた心の中を探検し、無意識の世界へ誘う心の名著。（香山リカ）

生きることの意味　高史明（コ・サ・ミョン）

さまざまな衝突の中で死を考えるようになった一朝鮮人少年。彼をささえた人間のやさしさを通して、生きることの意味を考える。（鶴見俊輔）

まちがったっていいじゃないか　森毅

人間、ニブイのも才能だ！　まちがったらやり直せばいい。少年のころを振り返り、若い読者に肩の力をぬかせてくれる人生論。（赤木かん子）

星の王子さま、禅を語る　重松宗育

『星の王子さま』には、禅の本質が描かれている。住職でアメリカ文学者でもある著者が、難解な禅の哲学を指南するユニークな入門書。（西村惠信）

友だちは無駄である　佐野洋子

でもその無駄がいいのよ。つまらないことや無駄なことって、たくさんあればあるほど魅力なのよね。一味違った友情論。（亀和田武）

自分の謎　赤瀬川原平

「眼の達人」が到達した傑作絵本。なぜ私は、ここにいるのか。自分が自分である不思議について。「こどもの哲学　大人の絵本」第1弾。（タナカカツキ）

ちくま文庫

翻訳教室（ほんやくきょうしつ）　はじめの一歩（いっぽ）

二〇二一年二月十日　第一刷発行
二〇二四年十二月五日　第二刷発行

著　者　鴻巣友季子（こうのす・ゆきこ）
発行者　増田健史
発行所　株式会社　筑摩書房
東京都台東区蔵前二―五―三　〒一一一―八七五五
電話番号　〇三―五六八七―二六〇一（代表）
装幀者　安野光雅
印刷所　中央精版印刷株式会社
製本所　中央精版印刷株式会社

ISBN978-4-480-43714-3　C0180